プロローグ

この世には二つの異なる次元が、合わせ鏡のように存在している。

一つは人間の住む"物質界《アッシャー》"。

一つは悪魔の棲《す》む"虚無界《ゲヘナ》"。

本来であれば、両者は互いに干渉し得ないはず。

しかし、悪魔はこちらの世界のあらゆる物質に憑依《ひょうい》することで、干渉し、脅《おびや》かしていた。

『祓魔師《エクソシスト》』とはそれらの悪魔を祓《はら》い、物質界《アッシャー》の平和を守る気高き騎士達の総称である。

刀剣で戦う『騎士《ナイト》』。

銃火器で戦う『竜騎士《ドラグーン》』。

魔を操って戦う『手騎士《テイマー》』。

書や経典を唱えて戦う『詠唱騎士《アリア》』。

療を担う『医工騎士《ドクター》』。

して、それら祓魔師《エクソシスト》の最高峰たる『聖騎士《パラディン》』。

歴代最強と謳《うた》われた聖騎士《パラディン》・藤本獅郎《ふじもとしろう》は、
魔神《サタン》の落胤《らくいん》である養い仔《ご》・奥村燐《おくむらりん》をその魔の手より守る為、壮絶な最期《さいご》を遂げる。

残された燐は、正十字騎士團《せいじゅうじきしだん》の名誉騎士《キャンサー》であり亡き獅郎の友人でもあるという
メフィスト・フェレス卿《きょう》に、ある選択を突きつけられる。

「大人しく我々に殺される」か。

「我々を殺して逃げる」か。

「自殺する」か。

燐はそのどれでもなく、祓魔師《エクソシスト》になり魔神《サタン》を倒すことを誓い、
メフィストが理事を務める正十字学園祓魔塾《ふつまじゅく》の訓練生《ペイジ》となる。

そして、そこには史上最年少で祓魔師《エクソシスト》となり、講師として教壇に立つ双子の弟・雪男《ゆきお》の姿があった。

対・悪魔薬学の天才と呼ばれ、常に冷静沈着に任務に当たる弟に、燐はライバル心を燃やす。


「ぜってー、お前を追いぬいてやるからな!!」

「冗談は頭の出来だけにしてくれ」


――これは、そんな悪魔を倒す悪魔のお話。

青の祓魔師《エクソシスト》

ホーム・スイート・ホーム

加藤和恵
矢島綾

JUMP j BOOKS

メインキャスト

奥村燐《おくむらりん》

魔神《サタン》の息子として生まれるが、数々の戦いの中、祓魔師《エクソシスト》になることを決意する。料理がとても得意。

奥村雪男《おくむらゆきお》

燐の弟。最年少で祓魔塾《ふつまじゅく》の講師をつとめる天才少年。

勝呂竜士《すぐろりゅうじ》

仏教宗派・明陀宗《みょうだしゅう》の跡取り。強い意志を持って、日々勤勉に祓魔師になる努力を続けている。

三輪子猫丸《みわこねこまる》

明陀宗の中の名家・三輪家の当主。竜士、廉造と一緒に祓魔塾に入塾した。

志摩廉造《しまれんぞう》

竜士、子猫丸とは幼い頃からの付き合い。女の子が大好き。虫が大嫌い。

藤本獅郎《ふじもとしろう》

燐たちの養父。聖騎士《パラディン》の資格を持つ。魔神によって命を落とした。

志摩柔造 (しまじゅうぞう)

志摩家の次男。直情型の青年である。蝮とは幼なじみだがよくいがみあっている。

勝呂達磨 (すぐろたつま)

明陀宗の十七代目座主。竜士の父親である。飄々としているがある秘密を持っている。

志摩金造 (しまきんぞう)

志摩家の四男。バンドを組んでいる。柔造同様、喧嘩っぱやい。

宝生蝮 (ほうじょうまむし)

明陀宗の重鎮、宝生蟒の長女。志摩家とは犬猿の仲だが…。

メフィスト・フェレス

正十字学園の理事長。名誉騎士(キャンサー)の称号を持つ。何らかの思惑を持ち、暗躍を続ける。

アマイモン

悪魔。八候王(パール)の一人で、地の王。メフィストの弟であり、自由で凶暴。

藤堂三郎太 (とうどうさぶろうた)

祓魔師を輩出する名家の出で、祓魔塾で教鞭を取っていた。

青の祓魔師《エクソシスト》 ホーム・スイート・ホーム

目次《もくじ》

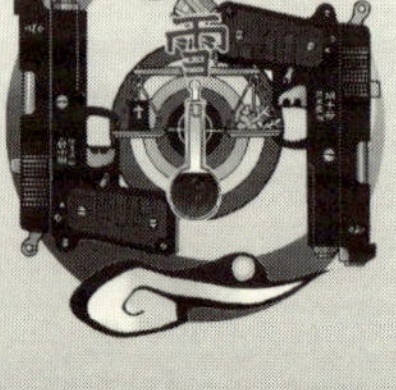

ホーム・スイート・ホーム

「――三十八度五分《ぶ》か」

双子《ふたご》の兄が、デジタル体温計に表示された数値を読み上げる。眉間《みけん》にしわが寄ったその顔を、雪男《ゆきお》は枕の上からぼんやり見上げた。眼鏡《めがね》を外《はず》した視界はぼやけ、高熱のせいでかすかににじんでいる。

幼い頃は病弱で、三十八度を超《こ》える熱など珍しくもなかった。――が、最近では滅多《めった》に寝こむことなどなかったせいか、ひどくしんどい。身体《からだ》の節々《ふしぶし》が痛いのは年のせいだろうか……などと、齢《よわい》十五歳の若さにして、半《なか》ば真剣に考えてしまう。

これでは、口の悪い某《ぼう》女上司に『若さがねーな』『どこまで老《ふ》けこむつもりだ?』『お前、絶対、若ハゲるぞ』と言われても仕方ない。

「熱、たけーな」

兄はそう言うと、試しに雪男の額《ひたい》に触れ「おわっ！　熱《あち》ィ!!」と大袈裟《おおげさ》に驚いてみせた。

シャツの下からはみ出した尻尾《しっぽ》が、踏まれた猫のそれのように逆立《さかだ》っている。

いくらなんでもそんなに熱くないだろう、と兄の過剰《かじょう》リアクションにツッコむ気すらもはや、起きない。

あまりのだるさに、このまま身体がベッドの中に沈んでいきそうだ。

「氷枕、作ってくるか？」

額から手を離した燐《りん》が尋《たず》ねてくる。雪男が頭を振って、その場に上半身を起こす。

「……いいよ。どうせ、もう起きるから」

「はあ？　お前、何言ってんだよ？　今日一日は寝てねーと」

「いや……明日には提出しなきゃならない書類があるんだ。のんびり寝ているわけにはいかないし」

ふらつく足で机に向かおうとすると、兄のバカ力に阻《はば》まれた。問答無用でベッドに連れ戻される。

「そもそも働きすぎで倒れたようなもんなんだから、大人《おとな》しく寝とけって!!」

「ただの風邪《かぜ》だよ……騎士團《きしだん》内でも、夏風邪が流行《はや》ってたから」

「いーや。疲労だね」

燐が決めつける。その兄さんぶった口調にムッとした雪男が、

「……僕は兄さんと違って、普通に罹患《りかん》する可能性があるんだ」

あえて難しい言い方をする。

「リ……リカン……？？」

案《あん》の定《じょう》、兄は『ハテナンデショウ？』という顔をしている。雪男がわざとらしく長いため息を吐《つ》く。ことさら講師然とした口調で、

「――病気にかかるって意味だよ。兄さん」

「おー、かかるってことか！　なるほど――って、さりげなくバカにすんじゃねー!!　俺だって、風邪の一つや二つ……」

ようやく『バカは風邪をひかない』に思い至ったらしい燐が、両目を吊《つ》り上《あ》げ憤慨《ふんがい》するも「かかったことは……」語尾にいくほど力がなくなっていく。それもそうだろう。生まれてこの方、十五年間一緒にいるが、兄が寝こんでいる姿など見たことがない。

なんせ、真冬の川に飛びこんでも風邪の一つもひかないのだ。この兄は。

「ほら、ないでしょ？」

雪男が追いつめる。悔《くや》しさにぐぬぬぬ……となった兄が、

「クロ！」

と愛猫《あいびょう》の名を呼んだ。

床《ゆか》の陽《ひ》だまりで自分の尻尾に顔を埋《うず》めるように寝ていた猫が「にゃー？」と顔を上げ、トトトト……とやって来る。もとは彼らの養父《ようふ》・藤本獅《ふじもとし》郎《ろう》の使い魔で、今は兄の使い魔になった猫又《ケット・シー》だ。一見、普通の猫だが、尻尾のところが二股《ふたまた》にわかれている。

「俺が留守の間、雪男が仕事しねーよーに見張っててくれ。いいか？　絶対、ベッドから出すなよ？」

「にゃー！」

燐の厳命《げんめい》に一転してキリッとした顔つきになったクロが、片方の前足を頭の脇《わき》に上げる。了解という印《しるし》なのだろう。

（また、面倒臭《めんどうくさ》いことを……）

雪男が眉《まゆ》をひそめる。大体、絶対ベッドから出すなって、トイレはどうするんだ、と胸の中で文句を言っていると、ドアの前まで行った燐がくるっとこちらを振り返った。

「今から正十字《せいじゅうじ》マート行って、なんか買ってきてやるけど、何がイイ？」

「何がイイって……」

解熱剤《げねつざい》ならすでに飲んである。

特に欲しいものはなかったが、彼らの寝起きしている男子寮旧館には冷房設備がないため、とにかくうだるような暑さだ。解熱に必要な汗が出るのはいいが、一歩間違えれば脱水症状になりかねない。

ミネラルウォーター、と答えかけ、すぐに枕の上で小さく頭を振る。「――やっぱり、いらない」

「は？　なんでだよ？　遠慮すんなって」

せっかくの親切をむげにされた燐が不満げに言う。

「どーせ、お前、アレだろ？　カゲ薄い水だろ？　ちゃんと買ってきてやるって」

「いや……いいよ。おつかいもまともにできない兄さんのことだから、自分の分のゴリゴリくんだけ買ってきて、僕のは忘れるだろうし……後で自分で買ってきた方が早い」

「いつの話だよ、それ!?　まだ根に持ってんのか!?　くれーな!!　つーか、病気の時までいちいち、兄をあかこするな!!　このホクロメガネ!!」

「それを言うなら『当てこする』ね。垢《あか》はこすらない」

「あー、もうゴチャゴチャうっせーよ!!　病人なら病人らしく、少しは大人しく寝てろ！」

怒った燐がびしっと人差し指を突きつけて命じる。

そして、荒々しくドアから出ていこうとしたところで、思い直したように立ち止まり、再び尋ねてきた。

「水の他に、なんか食いてーもんとかあるか？」

「…………」

何もない――そう答えるつもりが、

「……おじや」

とつぶやいていた。

「!?」

珍しく素直《すなお》に答えた雪男に、兄が驚いたような顔で両目を瞬《しばたた》かせる。それを見て、はっと我に返る。

ひどく居《い》心地《ごこち》が悪かった。雪男がムスッとした顔で兄から視線を背《そむ》ける。「別に……食べたいってほどじゃあないけど……」

「――ああ。親父《ジジイ》の作ってくれたヤツだな」

燐はそう言うと、任《まか》せとけ、と胸を叩《たた》いて部屋を出ていった。ドアがバタンと閉まる。

開《あ》け放《はな》たれた窓から夏らしく乾いた風が吹きこんできて、汗に濡《ぬ》れた雪男の額をそよそよとやさしく撫《な》でていく。窓際《まどぎわ》に寄せた机の上で、本のページがパラパラとめくれた。

(——よし。行ったな)

兄の足音が完全に遠ざかったのを確認して、再び、起き上がろうとすると、

「にゃーっ!!」「わっ!?」

クロが勢いよく胸の上に飛び乗ってきた。行かせないぞ、とばかりに前足を突っ張る。

キッと目を吊り上げた無駄《むだ》に凜々《りり》しい顔を見るに、てこでも動かなそうだ。

雪男がすっと両目を細め、勤勉な監視役の耳元に猫なで声でささやく。

「……ねえ、クロ。マタタビ酒一杯で手を打たないかい?」

「!?」

「いや、二杯でも三杯でもいいよ。兄さんには内緒にしていてくれればいいから。ね?」

にっこりと爽《さわ》やかに微笑《ほほえ》んでみせる。ここらへんはお手のものだ。

「なんなら、コンビニのスキヤキもつけるよ」

「……にゃ、にゃん……」

大好物の名を次々に出され、クロが小さな喉《のど》をごくりと鳴らす。かなり心を動かされた

様子だ。よし、あと一押し、と雪男が黒く笑う。——が、すぐに怒った顔になったクロが、にゃーにゃーわめいた。

兄のように言葉はわからないが、その様子から、

『ばかにするな！　おれはわいろなんかにくっしないぞ！』

と宣言しているらしい。二本の尻尾が興奮のせいで使い古したデッキブラシのようになっている。

卑劣《ひれつ》な買収作戦はあえなく失敗に終わった。さすがに元は守り神として祀《まつ》られていただけある。意外に誇り高い。

「わかったよ……大人しく寝てるってば」

降参というように雪男が頭を枕の上に戻す。

「にゃん」

と、今度は満足げに鳴いたクロが、とたん、と小さな音を立てて雪男の胸から床に降りる。だが、そのままその場に留《とど》まり、じーっとこちらを見張っている。さっさとお昼寝の続きでもしてくれればいいのに、瞬《まばた》き一つしない。

雪男が、ハァ……とため息を吐く。

兄もとんだ監守《かんしゅ》を残していったものだ。

（……これは、一秒でも早く治《なお》すしかないな）

書類は諦《あきら》め、目を閉じる。

室内は相変《あいか》わらずうんざりするような暑さだが、時折《ときおり》、思い出したように入ってくる風が心地よい。だが、熱で気だるいせいかなかなか寝つけない。思考はすぐに、溜《た》まっている仕事へと向かう。

書類の他にも、やらなければならないことは山ほどある。こんな風《ふう》にのんびり寝ている時間なんて自分にはないのに……。

「――昔ね」

気づけば、焦燥《しょうそう》を紛《まぎ》らわせるためか、猫《クロ》相手に語りかけていた。「僕が風邪をひくと……いつも、神父《とう》さんが卵の入ったおじやを作ってくれていたんだ……すごくやさしい味で、あたたかくて……うれしかったな」

利口《りこう》な猫又《ケット・シー》は雪男の言う『神父《とう》さん』が、彼の大好きな『しろう』を指《さ》すとすぐにわかったらしく、うれしそうな声で「にゃあ」と鳴いた。甘えるように喉の奥をゴロゴロと鳴らす。

そのやさしい音に雪男が目をつぶったまま、そっと頬《ほお》を緩《ゆる》める。

そして、薄くまぶたを上げる。ぼんやりとにじんだ視界に木目の荒い飾《かざ》りっ気《け》のない天井が見えた。「……でも、一度だけ……神父《とう》さんのおじやを兄さんが代わりに作ってくれたことがあったんだ……」

卵の殻入《からい》りだったけどね、とつけ加えてくすりと笑う。


あれは、もっとずっと寒い時期だった。

雪男も兄も、まだ八つになったばかりで、もちろん神父《とう》さんもまだ元気で——外には冷たい木枯《こが》らしが吹いていて、いつの間にか雪も降っていた。

あの日見た雪の白さを思い出すように目をつぶる……。


——とーさんいなくて、さみしーのか？

真っ白な雪の中で、幼い兄の声が聞こえたような気がした。

「本日の最高気温は三度、最低気温はマイナス一度まで下がります。今季一番の冷えこみですね。特に夕方から夜遅くにかけては、マフラーや手袋などの小物が役に立ちそうです。昼過ぎから、ところによっては氷雨《ひさめ》がチラつくところもあるかも。しっかり防寒してからお出かけくださいね～」

✞

ブラウン管の向こうから、小型マイクにふわふわの白いファーをつけたお天気お姉さんが、一日の始まりにふさわしい明るい笑顔で今日の天気を伝える。その脇《わき》で年代物のダルマストーブの上にのった薬缶《やかん》が、しゅんしゅんと高い音を立てた。

南《みなみ》十字《じゅうじ》男子修道院の古びたくもりガラスには、室内外の温度差から無数の水滴がびっしりと張りついている。いつもであれば、その水滴に指を伸ばし意気揚々《ようよう》と落書きをしているだろう燐《りん》は、養父《ようふ》のとなりで神妙な顔をしていた。養父の常服《カソック》をぎゅっと握《にぎ》りしめ、双子《ふたご》の弟が寝かされているベッドを不安げにのぞきこんでいる。

幼い眉間《みけん》に大きなたてじわが寄り、口をへの字に曲げ、まるで通夜《つや》の席のような様相だ。

「――――三十八度九分」

昔ながらの水銀式体温計を手に獅郎《しろう》が告《つ》げる。そして、リンゴのように真《ま》っ赤《か》な顔をした雪男《ゆきお》の前髪を払い、額《ひたい》に手を置いた。おお、熱《あち》ィ熱ィ、と言う。

「こりゃあ、暖房いらずだな」

「そのさんじゅうはちどくぶって、なんだ!? わるいのか？」

不謹慎極《ふきんしんきわ》まりない養父の片足にしがみつき、燐が自身も真っ赤になった顔で尋《たず》ねる。むろん、こちらは風邪《かぜ》ではなく、弟を心配するあまり興奮で顔が赤くなっているだけだが。

「雪男、すげぇわるいのか？ なあ、とうさん、だいじょーぶなのか？ なあってば!!」

「落ち着け。診《み》たとこ、ただの風邪だ。栄養摂《と》って寝てりゃあ治《なお》る」

獅郎はそう言うと、小さなピラニアのごとく足に喰《く》いついて放さない燐を引《ひ》っ剝《ぺ》がした。

こう見えて、獅郎は医師免許も持っている。しかも、極めて優秀な医者だ。

養父の言葉に安心したのか、ほうっと息を吐《は》いた燐が弟のベッドの上にがばっと飛び乗る。そして、両目をぎゅっとつぶって、

「雪男、ねるな！ ねちゃダメだ!! ねむったら、しぬぞっ！」

兄の体重を受けた雪男が、ぐぇっ、と踏みつぶされた蛙《かえる》のような悲痛なうめき声をもらす。

「オイ、コラ！　止《や》めろ！　燐」

慌《あわ》てた獅郎が燐の首根っこをつかみ、猫の子のようにぶら下げる。燐は両手両足を使ってジタバタ暴《あば》れた。

「お前なぁ……今、言ったこと聞いてなかったのか？　寝てていいんだよ。むしろ、飽《あ》きるぐらい寝かせてやれ」

「でも、きのうのよる、テレビがいってたぞ？　ねむったらしぬって」

片方の頬《ほお》をぷくっと膨《ふく》らませ真剣な顔で訴《うった》える養《やしな》い仔《ご》を、

「それは雪山で遭難《そうなん》した場合だ。ここは、雪山か？　え？」

そう諭《さと》し、床の上にトンと下ろす。「それから、テレビは言わねえ。そういう場合は、『テレビで言ってた』って言うんだ」

「？　どうちがうんだ？」

ぽかんとした顔になる燐の小さなおつむを無《む》造作《ぞうさ》に撫《な》で、もう一方の手で、それにしても、と獅郎が自身の頭を掻《か》く。鳶色《とびいろ》の短髪がガシガシと揺れた。

「長友《ながとも》も経堂《きょうどう》も和泉《いずみ》も丸田《まるた》も風邪でダウンたぁ……どんだけ風邪が流行《はや》ってんだよ？」

四人とも各々《おのおの》の自室でうなっている。熱は雪男と似たり寄ったりだ。だが、修道士の彼らは年をくっている分、平熱の高い子供《ゆきお》より気持ち辛《つら》そうだった。

まあ、併設《へいせつ》されている正十字《せいじゅうじ》教会の朝の礼拝はすでに終わっており、土曜なので小学校に欠席の連絡をする必要もない。ゆっくり寝かせておけばいいだろう、と獅郎があくまでお気楽に考える。

「――とりあえず、全員、一か所にまとめとくか」

その方が看病しやすい、と空《あ》き部屋に布団《ふとん》を並べ全員を寝かせることにした。

長友らにはさすがに自分で歩いて移動してもらい、最後に雪男をベッドマットごとひょいっと抱《かか》え上《あ》げる。養父の思いがけぬ逞《たくま》しさに燐の両目がキラキラと輝く。両手を握りしめて、感嘆《かんたん》の声を上げる。

「とうさん、スゲェ!!　かっけえ!　つえぇ!!」

「ガハハ……まあ、俺が本気を出せば、ざっとこんなもんよ」

調子に乗った獅郎が雪男を乗せたベッドマットをさらに高く、頭の上あたりに掲《かか》げてみせる。その瞬間、獅郎の腰がゴキッと嫌《いや》な音を立てた……。

「!! うぎゃ……ぁ、あ……が……」

獅郎の顔がピキッと引きつる。そのまま全身を小刻《こきざ》みに震《ふる》わす。異変に気づいた燐が、その場に凍《こお》りつく養父を見上げる。

「とうさん、だいじょーぶか？ いま、なんかへんなおとがしたぞ？」

「…………な、何、平気だ……ヘーキヘーキ」

言葉とは裏腹《うらはら》に虚《うつ》ろな表情の獅郎が、今までとは打って変わって慎重《しんちょう》な動きでベッドマット（＋雪男）を空き部屋に運びこむ。床にそろそろと置いたところで力尽《つ》きた。

「……って、燐……やっぱり、俺はもうダメだ……うぐうっ……」

床の上にぐたっと倒れこんだ獅郎に仰天《ぎょうてん》した燐が、悲鳴を上げる。

「ぎゃあああ……!!! とうさんがしんだあぁあ!!」

「死んでねえよ! 勝手に殺すな!」

縁起《えんぎ》でもねえ、と腰に手を当てた獅郎がむくりと起き上がる。そして、再び顔をひきつらせた。「いや……かなり、ヤバかったな」

眉間にしわを寄せた顔で獅郎が痛そうに腰をさすっていると、その常服《カソツク》のポケットから重厚な低音が響《ひび》きわたった。獅郎が、げぇっとうめく。ちなみに、着信音は某《ぼう》サメ映画の

BGMである。

「――ったく、よりによってこんな時に」

「なっ、なんだ!? て、てきか……!? てきしゅーか!?」

養父と弟を庇《かば》って両手を広げた燐が、キョロキョロとあたりを見まわす。その頭にポンと手を置いて、落ち着け、と獅郎が燐をなだめる。

「敵じゃねえ。俺の携帯だ」

「けいたい!? おれも! おれも! けいたい、ほしいっ! かってくれ!! いっしょーのおねがい!!」

「大人《おとな》になったらな。こりゃ、ガキの遊び道具じゃねえんだぞ。それから、こんなことで一生のお願いなんか使うな。もったいねえ」

携帯を奪《うば》い取《と》ろうとピョンピョン飛《と》び跳《は》ねる燐の頭をガシッとつかんで動けぬように固定し、獅郎が携帯の通話ボタンを押す。一拍《いっぱく》と置かずに、陽気なバリトンが携帯越しに響きわたった。

『今日和《グーテンターク》☆藤本《ふじもと》神父。ご機嫌《きげん》いかがですか?』

「今、取りこみ中なんだ。切るぞ」

すげなく告《つ》げ、携帯を切ろうとすると、受話口の向こうで相手が笑《え》みを浮かべる気配がした。

『オヤ、ご挨拶《あいさつ》ですねぇ。せっかく、とびきり面倒で厄介《やっかい》な任務のお報《しら》せだというのに』

「そのどこが『せっかく』なんだよ？　文脈おかしいだろ。そして、つい今しがたも言ったが絶賛取りこみ中だ。俺以外の奴《やつ》を行かせろ。じゃあな」

『ほう……そんなことを言っていいんですかな？』

携帯の向こうから聞こえる声音《こわね》が、にわかに剣呑《けんのん》さを帯《お》びる。

『正月の餅《もち》代がないと騒ぐ貴方《あなた》に、お金をお貸しした心優《やさ》しき紳士が誰か、よもやお忘れではありませんな』

「ぐっ……」

『せっかくの臨時収入のチャンスを棒に振りたければ、どうぞご随意《ずいい》に』

新学期になればまた給食費や教材費やらで、何かと物入りではないのですか、と悪魔のささやきさながらに続ける通話相手に、獅郎がしわの寄った眉間で黙考する。そして、腹をくくったように、

「…………わかった。詳細《しょうさい》はメールで送ってくれ。十分以内に現場へ向かう」

『――賢明《けんめい》な判断です』

今にもその忌々《いまいま》しい含《ふく》み笑《わら》いが見えるような口ぶりで答える相手に、せめてもの抵抗とばかりにブチンと電話を切る。

「ったく、今日は厄日《やくび》か？」

ぼやいた獅郎が左手の下の燐を見やる。そして、その小さな頭から手を離すと、自身の頭を再びガシガシと掻きむしった。「……さて、どうすっかなぁ」

任務に行かないという選択肢《せんたくし》は、たった今、絶《た》たれた。かといって自分が任務に赴《おもむ》いてしまえば、残るは風邪っぴきの五人と燐だけになってしまう。

（パパパーッと任務が終わってパーッと帰ってこれりゃ、問題はないんだが……）

あの性根《しょうね》がひねくれ曲がったクソ上司が『とびきり面倒で厄介』と言うからには、そう都合《つごう》よくいくとも思えない。

（昼飯《ひるめし》はレトルトの粥《かゆ》、晩飯はぁ……出前を頼んどくとして、問題は――）

獅郎がちろっと燐を見やる。自分が〝問題〟にされていることなど知りもせず、燐が大きな吊《つ》り目《め》をパチパチと瞬《しばたた》かせる。

「どうしたんだ？　なんかあったのか？　とうさん」

「――ああ、それが、あったんだ」

と、獅郎が悩ましげに答える。「実は、俺ァ、今から野暮用《やぼよう》で出かけなきゃならなくなっちまってよ」

「ええ!? 雪男やみんなはどーすんだよ!? ダメだ! いかせねえぞ!!」

死んでも放すもんかとばかりに、燐が再び小さなすっぽんのようにしがみついてくる。

獅郎はふうっとため息を吐《つ》くと、厳《いか》めしい顔と声色《こわいろ》を作り、

「『燐隊員に告ぐ!』」

「!?」

燐が一瞬、きょとんとし、それが某宇宙戦隊アニメの提督《ていとく》の声真似《まね》だと気づくや否《いな》や獅郎の足から飛び降り、ピンと背筋《せすじ》を伸ばした。授業中は絶対に見せない真剣な顔で、キリッと養父を振《ふ》り仰《あお》ぐ。

獅郎の鳶色の両目がそれを真《ま》っ直《す》ぐに見つめ返す。そして、殊更《ことさら》厳めしい口調で命じた。

「『貴官に重大な任務を与える。俺が戻るまで、自分のできる範囲で皆の看病をするように。以上』」

「お、おーっ……にんむ……すげぇ……」

燐の目がキラキラと輝く。その後で「はんいってなんだ？」と首を傾《かし》げたが、すぐに元のキラキラした表情に戻り、

「オレ、がんばる!!　にんむ、がんばるぞ!!」

と張り切る。そのとたん、並んで寝ている四人から、悲鳴のようなうめき声がもれた。皆、顔を青くし、枕の上で必死に首を横に振っている。

(余計なこと言わんでください！　アンタ、俺らを殺す気ですか!?)

他の三人を代表して、長友が小声でうめく。獅郎がなだめるように笑う。

(大丈夫だって。ガキの看病なんざ、せいぜい薬を運んできたりするぐれえの可愛《かわい》いもんだ。むしろ、なんか役割を与えた方が悪さをしねえで安心だったりするんだよ。我慢しろ)

(今すぐ、撤回《てっかい》してください。命に関《かか》わる)

(バーカ。看病ぐらいさせてやれ。その方が、面白《おもしろ》……いや、燐にもいい社会勉強だ)

(面白いって言いましたよね？　今、面白いって——)

(まあまあ、大丈夫だって。興奮すると熱が上がるぞ)

獅郎が適当なことを言って、長友の抗議をうやむやにする。

「昼飯は、大鍋《おおなべ》にお湯を沸《わ》かして、レトルトの粥を袋ごと入れて三分温めてくれや。いい

袋ごとチンするなよ？　袋ごとチンすると破裂《はれつ》するからな。晩飯は、南十字商店街の中華屋に金わたして頼んどくから――」

「スキヤキ!?」

燐の顔がぱぁっと輝く。その眉間を獅郎が軽く指で弾《はじ》く。

「バァーカ。中華屋って言ったろ？　なんで、スキヤキなんだよ。山猫飯店《やまねこはんてん》のいつものデカ盛りチャーハンと、おまけでついてくる中華スープだよ」

「チャーハンも、オレすきだぞ！　さいきん、べにしょうがもくえるようになったんだ！　すげぇだろ？」

「そうか、そりゃすげえ。んで、時々窓を少しだけ開けて空気を入《い》れ換《か》えてやってくれ。それから、薬は一日朝昼晩に、一袋ずつ。雪男は半袋だ。一緒に、水かぬるま湯を出してやってくれ。――後はまあ、その場その場で臨機応変《りんきおうへん》に頼むわ」

しごく簡単に指示を出していると、父と兄の話を聞いていたらしい雪男が、布団の下から弱々しく手を差し出してきた。

「……神父《とう》さん……行っちゃうの……？」

「雪男――」

養父の常服《カソツク》をぎゅっとつかんで、心細そうな眼差《まなざ》しを向ける雪男に、獅郎が、ぐっと、言葉に詰《つ》まる。もともと泣き虫な少年は、すでに両目がうるんでいる。病気の子供を残して仕事に行かなければならない世の親が、皆そうであるように、素手《すで》で心臓をぎゅうっとつかみ上げられたような気がした。

「あーっ、その、なんだ……」

と語尾を濁《にご》す獅郎の横で、燐が弟の火照《ほて》った手をぎゅっと握った。

「だいじょーぶだぞ、雪男！　にーちゃんが、ちゃんとかんびょうしてやるからな！」

そう言って、にかっと笑う。

「……うん」

雪男の顔から心細げな表情が消え、うるんでいた両目がにっこりと微笑《ほほえ》む。

それを脇で見ていた獅郎が、へっ、と苦笑《にがわら》いを浮かべる。

「おーおー、少し先に生まれただけで、兄貴ぶりやがって」

からかうように言う。ほんの五、六年前まではオムツを当てて、ビービー泣いていたのに、と思うと、柄《がら》にもなく感傷に耽《ふけ》ってしまう。

（親がチャランポランでも、子は育つってか）

と、少しばかりしんみりしたところで、

「じゃあな。後は任《まか》せたぞ、燐」

獅郎がいたって陽気に告げる。それから、ビシッと敬礼してみせると、張り切った顔で燐がへの字口で敬礼を返してきた。なぜか左手だ。

その右手が弟の手をぎゅっと握ったままなのを見て、獅郎の頬が穏《おだ》やかにゆるんだ。笑顔で、息子たちに、そっと言《い》い添《そ》える。

「——なるべく早く帰ってくっからな。それまで頑張れよ」

✝

(……すごいにんむをまかされてしまった)

養父《ようふ》を見送った燐《りん》が、興奮にドキドキ鳴る胸の前で、拳《こぶし》を握《にぎ》りしめる。

日頃から、おつかいに行く時でも、『燐《オマエ》に持たせたらいらねーもんまで買っちゃうだろ?』と言われ、弟の雪男《ゆきお》にお金や買い物メモがわたされるという、不当な——兄としては多分に屈辱《くつじょく》的な扱《あつか》いを受けている燐である。

初めて任《まか》されたこの大役に、張り切らぬはずがない。

(よーし、おめいばんかいのチャンスだ……!)

と、一丁前《いっちょうまえ》にも聞きかじりの四字熟語《じゅくご》を胸に決意する。養父が横にいたら『それを言うなら、汚《お》名《めい》返上《へんじょう》だろ? 汚名を挽回《ばんかい》してどうすんだよ?』とツッコんだことだろう。

真《ま》っ赤《か》な顔でぐったりと横たわっている弟や修道士たちを見やり、普段、雪男が熱を出した時に父がやっていることを思い出す。

確か、氷水にひたした冷たい布を額《ひたい》にのせていた。そうすると、雪男の熱がみるみる下がっていくのだ。アレは魔法の布だ。

「まずは、あたまをひやさなきゃ」

と、修道院の奥にある厨房《ちゅうぼう》へ向かう。水を張るための大きなボウルを探したが小さなものしか見当たらないので、ちょうど側《そば》にあったバケツを手に取る。そこにたっぷり冷水を張り、

「こおり、こおり――」

重くなったそれを両手で持ち上げ、冷蔵庫の前まで運ぶ。

男所帯《おとこじょたい》のため、冷蔵庫は業務用だ。かなり年季《ねんき》が入った代物《しろもの》なので、いつも重低音を発し小刻《こきざ》みに振動している。夜中は特にそれがひどい。まるで冷蔵庫がうなっているように聞こえる。

幼稚園に上がる頃まで、雪男はこの音をひどく怖《こわ》がっていた。

雪男はなんでも怖がる。ついこの間まで、暗闇《くらやみ》にはお化けや悪魔がいると言って、一人ではおしっこにも行けなかった。

「おれがアイツをまもってやるんだ。おれは雪男のにいちゃんなんだから」

しかつめらしい顔つきで燐がひとりごちる。そして、高くそびえる冷蔵庫をむんと見上げた。

古い型なので引き出しタイプの冷凍室などはない。冷凍室は遥《はる》か頭上にある。背の低い燐は椅子《いす》を持ってきてその上に乗り、さらに背伸びをして冷凍室を開けなければならなかった。

取っ手を引っ張ると、むわっと冷たい空気が出てきて燐の鼻先を覆《おお》った。冷たい、と目をつぶるも、めげずに椅子の上からバケツの中に氷を落とす。その際、まわりにだいぶ水《みず》飛沫《しぶき》が飛び散ったが、とりあえず氷水が完成した。

さらに重くなったバケツを両手で持って運びながら、洗面所に向かう。タオルは布地が厚くしぼりにくかったので、結露防止のため、窓のサッシの上に置かれていた薄手の雑巾《ぞうきん》を五つ取ってバケツに放りこむ。

ますます重くなったそれを「うんしょ、うんしょ」と運びながら、廊下の途中で一息吐《ひといきつ》き、

「かんぴょうもたいへんだ」

とつぶやきながら額の汗を拭《ぬぐ》う。

その顔は言葉とは裏腹《うらはら》に、ひどく幸せそうだった。

✝

「う……うーん……」

熱にうなされながら雪男《ゆきお》が寝返りを打つと、額《ひたい》の上に何かひんやりとした物がのった。

火照《ほて》った顔に冷たくて気持ちがいい。――だが、どういうわけか、カビたような腐《くさ》った牛乳のようななんともいえぬ臭《にお》いがする。

ぶっちゃけ臭《くさ》い。

目を開けると、双子《ふたご》の兄の顔があった。雪男がぼやけた視界を瞬《しばたた》かせる。

「？　兄さん？」

「おう、雪男。きがついたか」

燐《りん》がにっと笑う。雪男の額から離れた指は、指先だけ冷たそうに赤く変色していた。

「どうだ？　つめたくてきもちいいだろ？」

「え？　う、うん……──」

雪男が臭いに我慢して肯《うなず》く。両目を上げて自分の額へ視線をやると、雑巾《ぞうきん》がのせられていた。明らかに悪臭はそこからきている。

（……臭いはずだよ）

しかも、視線を横に逸《そ》らせるとなぜかバケツがある。雪男が知る限り、あれは生《なま》ごみ用のバケツだったはずだ。

だが、得意満面の兄の手前、正直な感想を言うのは憚《はばか》られた。

雪男が兄に向けて──やや、引きつってはいるものの──にっこりと微笑《ほほえ》んでみせる。

「ありがとう……兄さん……」

雑巾じゃなければ、もっとよかったかも、と心の中で言《い》い添《そ》える。

「にしし。いーって」

燐は弟の感謝の言葉にうれしそうに鼻の下をこすると、他の四人にも同じように雑巾をのせてまわった。

「う……ゔぅ……んー…………うぐ……ぅ……」

苦しげなうめき声がとなりで寝ている丸田《まるた》の唇《くちびる》からもれる。苦悶《くもん》するような顔で眠っているのを横目で見、気の毒に、と思う。

和泉《いずみ》や経堂《きょうどう》、長友《ながとも》は意識があったらしく、雪男と同じ葛藤《かっとう》を繰《く》り広《ひろ》げているようだった。

経堂が果敢《かかん》にも、

「燐……ありがとな。もう充分だから、居間でテレビでも見てろ。ほら、おまえの好きな戦隊物のアニメ！　アレがやってる時間じゃねえのか？」

と、自発的に看病を止《や》めてくれるよう仕向けるが、

「ダメだ！　みんなのかんびょうすんのがオレのにんむなんだから、テレビなんかみてるヒマはないんだ！！」

燐がいつになく生真面目《きまじめ》な様子で一蹴《いっしゅう》する。そして、「つぎだ、つぎ！」と鼻息も荒く

部屋から飛び出していく。まるで小さな暴走機関車だ。ブレーキはなく、燃料が切れるまで止まらない。

「……次って、今度は何するつもりだ……？」

「てか、これ……取っちゃダメッスよね……やっぱり……」

「そりゃ……なぁ……う、臭《くせ》えな」

病床《びょうしょう》に伏《ふ》せったまま戦々恐々《せんせんきょうきょう》とする面々のもとに、燐が戻ってきたのはそれから約十数分後だった。なぜか両手に長ネギを五本と茶色い壺《つぼ》を持っている。右の脇《わき》に抱《かか》えているのは、医者でもある養父《ようふ》が南十字商店街の古本屋で購入《こうにゅう》してきた民間療法の本だ。

療法——といっても、どちらかといえば迷信という方がしっくりくるような代物《しろもの》で、雪男が養父の脇からのぞいてみた時には、痔《じ》の治療法として『熱く焼いた長ネギを患部《かんぶ》に当てる』とあった。

嫌《いや》な予感がする。もとい、嫌な予感しかしない。

敏感《びんかん》にそれを察知した長友、経堂、和泉が亀《かめ》の子のように布団《ふとん》の中に潜《もぐ》りこみ、盛大に寝た振りを決めこむ。わざとらしい高イビキがそれぞれの布団から聞こえてくる。

雪男が自《みずか》らもそれに続こうとすると、それよりも早く兄が布団の脇にしゃがみこんだ。

ネギの束《たば》を一度床《ゆか》に置き、壺から真《ま》っ赤《か》な梅干《うめぼ》しを取り出す。見るからに口の中が酸《す》っぱくなりそうなほど赤々とした巨大梅だ。ところどころにこびりついた赤紫色《あかむらさきいろ》のしその葉が、酸っぱさ度数をさらに上げている。

　思わず雪男の口が「っぅ……」とすぼまる。手にした燐の口も同じようにすぼまっている。

「雪男、もうだいじょーぶだぞ。このネギをくびにまいて、うめぼしをおでこにはると、かぜがちょうようなおるんだってさ!!　すげーだろ!?」

「う……うん、すごいね。でも、いいよ……兄さん。ボク、なんかもう具合がよくなってきたみたい」

　雪男がプルプルと首を振る。

　だが、そんな遠まわしな拒絶《きょぜつ》ではこの兄には通用しない。一片《いっぺん》の曇《くも》りもない無邪気《むじゃき》な笑顔で、えんりょーすんな、と言って燐が雪男の首に長ネギを巻きつける。ご丁寧《ていねい》にネギは焼ネギだった。ネギの薄皮がぺったりと肌《はだ》に張りつく。

「ぐえ……」

　かなりきつく首をしめられ、再び雪男がカエルのようにうめく。

続いて、おでこに梅干しを貼《は》ろうとした燐の手が止まる。そして、眉間《みけん》にしわを寄せ、

「――むぅ」

と何やらひどく弱っている。

腐った牛乳にネギの青くさい臭いがプラスされ、もはや、鼻呼吸を放棄《ほうき》し口呼吸に切り替えていた雪男が――それでも少しは臭うのだが――兄の異変に気づく。そして、賢《かしこ》い彼は熱と臭いにうなされつつもその理由にすぐさま思《おも》い至《いた》った。

場所がないのだ。

（そうだ。ボクのおでこはすでに、雑巾が占領している）

この上、梅干しを貼りつけられるスペースはないはずだ。ほっとした雪男が、せめてこの雑巾だけでも取ってもらおうと思う。雑巾よりはまだ梅干しの方がマシだ。少なくとも、臭いはない。

「兄さ――」「そうだ！」

だが、こんな時に限って兄の頭は憎らしいほど冴《さ》えていた。

ぱあっと明るくなった顔で指パッチン（鳴らない）をすると、雑巾をたたんで小さくし、おでこの真ん中に置いた上で、うめぼしを左右の空《あ》いているところに貼りつけ、

「よし！」

と満足そうに鼻から息を吐《は》き出《だ》す。

『何がよしだ、ちっともよくねえよ』

とあと十年も成長した雪男なら思っただろう。だが、今はなまじ純真なだけに、ただすこぶる悲しげな顔をしただけだった。

「じゃあ、ゆっくりねてるんだぞ？」

「…………」

兄さん風《かぜ》を吹かして言い聞かせる燐に、哀《あわ》れな雪男は無言で肯《うなず》いた。

大体、兄が雑巾を額に置く前、心地《ここち》良いかどうかはさておき、自分はちゃんと眠っていたのだ。――だが、この拷問《ごうもん》のような状態では逆立《さかだ》ちしたって眠れるものか。

ちなみに、とっさに寝た振りをした三名と本当に眠っていた丸田も、強制的に布団を剥《は》がされ、雪男と同じ目に遭《あ》った。挙句《あげく》、

「さあ、つぎはなにをしよう？」

と両腕をまくり上げる燐に青ざめ、

「お願いだから、じっとしててくれ……！」「それが一番、（心が）休まる!!」「頼む、

燐！　この通りだ!!」

と必死に嘆願《たんがん》したが、ダメだ、とすげなく拒《こば》まれる。

「オレがとうさんにまかされたんだから、ちゃんとかんびょうするんだ!!」

ムキになった顔で高らかにそう宣言し、

「おーっ！」

と自身に気合いを入れた燐が、部屋から駆け出していく。それに全員が布団の中から深いため息を吐《つ》いた。その顔は、朝よりもだいぶげんなりしていた。

——それから後も、この寒空の下、すべての窓を開《あ》け放《はな》たれ、部屋が冷凍庫と化したり、庭でつんできたらしいたんぽぽが浮いているあやしげなお湯で薬を飲まされたり、クラシク（※クラシックの間違い）が風邪《かぜ》に効《き》くらしいと、『第九《だいく》』を大音量で流されたり、大量のミカン——しかも、口が曲がるほど酸っぱい——を無理やり口の中に詰《つ》めこまれたり
……と、病床の面々を様々《さまざま》な艱難辛苦《かんなんしんく》が襲《おそ》う。
その恨《うら》みの矛先《ほこさき》は、善意と責任感の塊《かたまり》のような燐ではなく、半《なか》ば面白《おもしろ》半分で余計な知恵をつけた獅郎《しろう》に向かった。

「……藤本神父《ふじもとせんせい》の膳《ぜん》には、朝昼晩と、あの人の嫌いな物をつけろ」

「ああ……ここ一年おでんは献立《こんだて》から外《はず》そう。大根なんて以《もっ》ての外《ほか》だ」

「神父《せんせい》の布団は、これから日《ひ》陰《かげ》で干すことにしましょうよ……」

「むしろ、湯たんぽのお湯を水に変えてやれ！」

大の大人《おとな》が躍起《やっき》になって子供のような仕返しを本気で考えている。雪男はもはや、養父を庇《かば》う気力すらなく、時間が経《た》つごとにより強烈になる悪臭と身じろぎするたびに転がり落ちる梅干しのわずらわしさに、ひたすら耐《た》えるだけだった。

ふと、脳裏《のうり》に養父の笑顔がよぎった。いくらも離れているわけでないのに。兄や皆も側《そば》にいるのに……。

風邪のせいで心が弱っているのだろうか？

（……神父《とう》さんの作ってくれるあたたかいおじやが食べたいな……）

皆に心配をかけぬよう、己《おのれ》の胸の内だけでそっとつぶやく。

両目をつぶると、苦手《にがて》な暗闇《くらやみ》が襲《おそ》ってきた。悪魔が潜《ひそ》む暗い世界。怖《こわ》い、怖いと怯《おび》えることしかできない自分――。

目尻《めじり》に生《なま》あたたかい涙がにじむ。

逞《たくま》しい兄と違い、弱くて泣き虫な自分が情《なさ》けなくて、ひどく切《せつ》ない気分になった。

✞

「——さてと、つぎはなにをしようかな?」

ようやく窓を閉《し》めた燐《りん》が、両手を腰に当てて、考える。

すると、小さなお腹《なか》が大きな音でぐうっと鳴った。ありゃ、と壁にかかっている年代物の時計を見上げると、短い方の針が一番上の数字と右どなりの数字の真ん中にあった。いつの間にか、お昼ごはんの時間をとっくに過ぎていた。どうりでお腹が空《す》いているはずだ。

苦悶《くもん》するような表情で眠っている弟の寝顔に、

「いまから、れいいとうのおかゆをつくってやるからな」

そう語りかけ、台所に向かおうとする。

——と、雪男《ゆきお》が今にも消え入りそうな声で「……神父《とう》さ……ん……」とつぶやくのが聞こえた。

燐が弟の布団《ふとん》を振り返る。

「雪男……？」

起きたのかな、と思って顔をのぞくと苦しげな寝息が聞こえてきた。

「うわあごか？」

おそらく、うわ言《ごと》と間違えたのだろう——つぶやいた燐の顔が曇《くも》る。やっぱり心細いのだろうか。養父《ようふ》を呼ぶ雪男の声はさみしそうだった。

兄の自分のように飛びついたり、四六時中《しろくじちゅう》まとわりついたりはしないが、雪男は養父のことが大好きなのだ。それは、自分が一番よく知っている。養父の側《そば》で本を読んでいる時の雪男は幸せそうだ。雪男は養父をすごく尊敬している。

「とーさんいなくて、さみしーのか？　雪男……」

尋《たず》ねる声に返ってくる言葉はない。弟の苦しそうな息づかいだけが耳に届く。

たまたま、起きていたらしい長友《ながとも》が、

「——燐？」

と案ずるような視線を向けてくる。

「どうかしたのか？」

燐はそれには答えず、雪男の寝顔を見つめた。もともと痩《や》せっぽっちの弟が、さらに小さく見えた。

燐が自身の半ズボンの両脇《りょうわき》をぎゅっと握《にぎ》りしめる。

「……まってろよ、雪男」

そう言って、燐が部屋を出ていく。

「オイ？　燐？」

長友が自分を呼ぶ声が聞こえたが、足を止めなかった。

厨房《ちゅうぼう》に着いた燐は、流し台の脇に置いてあるレトルトのお粥《かゆ》には目もくれず、両腕を組んだ格好《かっこう》でぐるぐると檻《おり》の中の子熊《こぐま》のように歩きまわった。

「えーっと……たしか、あのときとうさんがつくってたのは——そうだ！　おやじだ！　ちがった。おじやだ！　おじやっ！」

立ち止まり、ポンと手を打つ。

前にも雪男が高熱を出し、丸一日何も食べられなかったことがあった。翌日、獅郎《しろう》が珍しく自《みずか》ら台所に立ち、湯気《ゆげ》のほっこり立《た》ち上《のぼ》るおじやを作ると、雪男は喜んでそれを食べた。作っている間中、燐は養父の脇にへばりついていたが、意外に器用なその長い指先から作り出される——黄色い卵がふんわり溶《と》かれたおじやは、見るからに美味《おい》しそうだった。滋養《じよう》のために入れられた青々とした野草は、その日の朝、養父が近所の土手でつんできたものだ。見慣《みな》れない草に、燐はいちいち指をさしては、説明を求めたものだ。

『とうさん、それなんだ?』

『ナズナだ。お前も知ってんだろ? ペンペン草だよ』

『しってるぞ。しろいちいさいのがプワプワーってなってるやつだろ?』

『ああ、しろいちいさいのがプワプワーってなってるやつだ。って、なんだそりゃ?』

『じゃあさ、そっちのは?』

『これは、セリ。こっちのは、ハコベだ。やわらかいし、甘いぞ。——あっ! つまみ食いすんな、コラ! どれだけ食い意地が張ってんだ、お前は!!』

『に、にがい……だまされた』

『生《なま》で食べりゃ、当たり前だ!! あーあ、もう。ほら、ここにペッって出せ』

『げぇぇぇぇー』

『うわ! 吐《は》くな。汚《きたね》ェな』

養父が台所に立つ姿が珍しく、始終《しじゅう》興味津々《しんしん》で眺《なが》めていたため、作り方もなんとなくだが覚えている。燐がぶつぶつとひとりごちる。

「あのおじやをつくって、とうさんからだっていってわたせば………」

雪男もきっと元気になるだろう。己《おのれ》の想像に燐の顔が再び明るくなる。

「よし！　オレ、やるぞ!!」

決意を胸に冷蔵庫を開けると、昨日《きのう》の残りのご飯がタッパーに入れられているのが見えた。特大の容器に入れられた自家製味噌《みそ》もある。飛び跳《とは》ねたかつおの絵が描かれた出汁《だし》のもともある。

だが、卵がなかった。数日前にオムライスを作った時にみんな使ってしまったのか、一個も残っていない。

見る見る燐の表情が曇《くも》る。

「ダメだ……たまごがないと……とうさんのおじやにならない」

長友や経堂《きょうどう》にわけを話し、お金をもらって買いに行けば済《す》むことだが、それでは雪男にバレてしまう恐れがある。弟にはあくまで養父からだと言って、わたしたい。その方が雪男も絶対、喜ぶのに——。

「………とうさん……」

しゅんとした顔でつぶやく。ちょっぴり心細くなってしまったが、すぐにぐっとそれを飲みこむと、冷蔵庫を閉《し》め子供部屋に向かった。壁のハンガーにかかった赤いパーカーを取る。それを頭から被《かぶ》り、首に赤いマフラーを巻く。

　そのまま子供部屋を飛び出し、建てつけの悪い扉から外に出た。――とたん、

「！　さぶっ!!」

容赦《ようしゃ》なく吹きつける外気の冷たさに、燐が上半身を強張《こわば》らせる。氷雨《ひさめ》どころか雪が降っていた。東京ではほとんど見ないほど大きな牡丹雪《ぼたんゆき》だ。吐き出す息が、タバコの煙のように白く染まっている。

　空を見上げると、灰色の雲がどんよりと太陽を覆《おお》い隠《かく》していた。

　燐の小さな鼻の頭が一瞬で赤く染《そ》まる。耳たぶのつけ根が千切《ちぎ》れそうなほど寒い。ぶるりと身震《みぶる》いする。

　だが、燐はひるむことなく修道院の敷地《しきち》から飛び出した。

「まずは、どてだ」

　傘《かさ》もささずに、一路、河川敷《かせんじき》へと向かう。

　そこに養父のつんできた野草があるはずだった。

——いつの間に眠ってしまったのだろう？

✝

夢の中で、養父《ようふ》をひたすら呼んでいた気がする。すると、なぜか兄が現れて『うわあごか？』と聞いてきた。

心の底からわけがわからないので黙っていると、今度は困ったような顔で『とーさんいなくて、さみしーのか？』と尋《たず》ねてきた。その通りだったが、弱虫な上に甘えん坊だと思われるのが嫌《いや》で答えられずにいると、兄は急に決意を秘めた面持《おもも》ちになり『まってろよ、雪男《ゆきお》』と言い、駆け出していってしまった。その背中はどんどん小さくなり、やがて闇《やみ》に呑《の》まれてしまう。

今度は、ひたすら兄を呼んでいるうちに目が覚めた。

「うぅ……んー……」

重たいまぶたを上げると、まず黄ばんだ天井が見えた。続いて、嗅覚《きゅうかく》が戻ってくる。相《あい》変《か》わらずの悪臭《あくしゅう》に思わず顔をしかめるが、身体《からだ》の方はだいぶ楽になっていた。頭痛や喉《のど》の痛みも引いている。

雪男がむくりと身を起こす。掛《か》け布団《ぶとん》の上に雑巾《ぞうきん》と梅干《うめぼ》しがぽとりと落ちてきた。

（……まさか、兄さんのネギや梅干しが効《き》いたのかな……？）

首に巻かれた焼ネギを解《と》きながら、雪男が半信半疑で思う。おでこに手を当ててみると、驚くことに熱が下がっていた。

民間療法もバカにできない——というよりは、兄のがむしゃらなパワーに引きずられた気がする。病《やまい》は気からというのもあながち嘘《うそ》ではないらしい。

（皆は、どうなったんだろう。やっぱり元気になったのかな？）

ずれた眼鏡《めがね》をかけ直し、視線を横へはわせる。すると、となりの四つの寝床のうち、長《なが》友《とも》、経堂《きょうどう》、和泉《いずみ》のものが空《から》だった。丸田《まるた》は相変わらず、苦しそうなイビキをかきつつも熟《じゅく》睡《すい》している。

「？」

トイレにでも行ったのだろうか。布団から起き上がって、部屋を出ると、三人が廊下で何やら話しこんでいた。

「そっちは?」

「いや、こっちにはいないっス」

「まったく……どこ行っちまったんだ」

三人とも、雪男のように全快とはいかぬようで、皆、顔色が悪かった。ダルそうに頭を抱《かか》えたり、綿入《わたい》り半纏《はんてん》の前を掻《か》き抱《いだ》いたり、咳《せき》をしたりしている。

「どうしたの?　皆、寝てなきゃダメだよ」

雪男がおずおずと声をかける。

すると、弱り切った顔の三人がこちらを向いた。経堂が顎髭《あごひげ》を撫《な》でながら、困惑《こんわく》気味に答える。

「実は、燐《りん》の姿が見えないんだ」

「兄さんが?」

雪男が幼い眉《まゆ》をひそめる。

「いないの?　どこにも?」

「ああ」

「……ったく、どこへ行っちまったんだか」

逆立った金髪をガシガシと掻きながら和泉が不安げにぼやく。「……看病に飽《あ》きて、遊びに行ったとかならいーんだけどよ」

(……違う)

と、雪男は胸の中で和泉の考えを否定した。

兄は養父に頼まれたことをほったらかして遊びに行くようなことは決してしない。しかも、病気の皆を残して、どこへ行くとも告《つ》げずに遊びに行くなど、考えられない。何か、重大な用事があって外に出たのだ。

(! もしかして……)

ふと、思い当たる。

先ほどの夢——あれは、夢ではなくて本当に『さみしーのか?』と兄が聞いてきたのではないだろうか。

(待ってろ、ってどういうことだろう? まさか、神父《とう》さんを連れ戻しに行ったとか……?)

だとしたら大変だ。

思わず小さな眉間《みけん》にぐっとしわを寄せた雪男に、

「どうした？　雪男」

と長友が尋ねてくる。

「どこか痛むのか？　寝てなきゃダメだぞ」

雪男は眉間のしわを解くと、ううん、と首を横に振ってみせた。その上で、遠慮がちに微笑《ほほえ》む。

「――ボク、すっかりよくなったから、ちょっとそのへんを探してくる。皆こそ、ゆっくり横になっててよ」


雪男が傘《かさ》をさして外に出ると、雪が降っていた。

「寒い……」

雪男が傘の下で、トナカイ色のダッフルコートに包まれた体を小さく震《ふる》わせる。

止める三人に納得してもらうのにだいぶ手間取った上、完全防備で雪だるまのような格《かっ》好《こう》にさせられてしまった。いかにも着ぶくれした感じが格好悪いが仕方ない。

「兄さん、どこへ行っちゃったんだろう？」

なるべくベチャベチャしていない道を選んで歩きながら、雪男が途方に暮れる。

双子《ふたご》のテレパシーとか、シンクロとか、そういったSF的な能力が使えればいいのに、と思う。試しに目をつぶって「うーん」と念じてみたが、ダメだった。うんともすんともいわない。

（当たり前だ）

と思いながらも、バカなことをしちゃったと雪男が一人で照れる。

あてもなく歩道をさまよっていると、

「アラ？　アンタ、藤本神父《ふじもとせんせい》のとこのユキちゃんじゃないかい？」

知り合いのお婆さんに声をかけられた。振り向くと、老婆は穏《おだ》やかに笑った。

「ああ、やっぱりそうだ」

正十字《せいじゅうじ》教会に毎朝通っている小柄《こがら》なお婆さんで、曲がった樫《かし》の木で出来た杖《つえ》をつき、真っ白な雪のような髪を頭の上でお団子《だんご》にしている。服装がいつも黒一色なので、今よりもっと小さい頃、兄との間で『あのバーチャンは、もしかしたらまじょかもしれないぞ』と盛《も》り上《あ》がったことがある。いつも持っている黒い革《かわ》のハンドバッグには、ヘビの皮やドクロや魔法の薬が入っているんだ、と兄がまことしやかに語っていたのを覚えている。

もちろん、彼女は魔女でもなんでもなく、雪男を『ユキちゃん』、燐を『お兄ちゃん』

と呼ぶ、ごく普通のやさしいお婆さんだ。

「……こ、こんにちは」

人見知り気味な雪男が赤くなりながら挨拶《あいさつ》する。老人は「はい、こんにちは」と落ちくぼんだ両目を細めて微笑む。そして、

「さっき、お兄ちゃんが河川敷《かせんじき》でうろうろしてたよう」

と教えてくれた。思わぬところから入った情報に、雪男が両目を見開く。

「河川敷？　河川敷のどこらへんですか？」

「ううんとねぇ……確か……あれは――そうそう。南十字大橋より向こう側の土手だったねえ。手にビニール袋みたいなのを持って、しゃがみこんでたけど、あれは何やってたんだろうねえ」

「ビニール袋？？　しゃがみこんでた？」

雪男が小首を傾《かし》げる。そんなところに兄は何をしに行ったのだろうか？

何はともあれ、兄の居所を教えてくれた老婆に礼を言う。

「――どうも、ありがとうございました」

礼儀正しくペコリと頭を下げると、雪男は教えられた土手へ向かった。

言われた場所でキョロキョロとあたりを探るが、兄らしい人影は見えない。それどころか、河川敷には人っ子一人いない。水が側《そば》にあるせいか、吹きつける風がゾクゾクするほど冷たかった。

「……もう、別のところに行っちゃったのかな……？」

せっかく来たのに、と雪男が肩を落とす。

土手には薄《うっす》らと雪が積もっていた。ところどころに生《は》えた野草が、雪の重みに頭を傾げている。それでも懸命《けんめい》に天を仰《あお》ごうとしている姿が健《けな》げでたくましい。なんだか、兄のように思えた。

それを見るでもなく眺《なが》めているうちに、ふと思い出す。

（そういえば……）

神父《とう》さんの作ってくれたおじやには、ここで採《と》った野草が大量に入っていたはずだ。

『セリやナズナ、ハコベには、ビタミンやミネラルが豊富に含まれてるんだぞ？　医食同《いしょくどう》源《げん》って言ってな。しかも、これならタダだしな。ガハハハハ』

と笑う養父の明るい声を聞きながら、すすったおじやの味を今も覚えている。

丸一日何も食べなかったせいで小さくなってしまった胃《い》の腑《ふ》に、あたたかいおじやがじんわりと沁《し》みわたるようだった。何より、養父が自分のためにわざわざ骨を折ってくれたことがうれしくて、胸のあたりがほっこりとあたたかくなった。

(兄さんは、なんでここに？　しかも、ビニール袋を持ってしゃがみこんでたって――)

小さな顎《あご》に手をやって大人《おとな》のように考えこんでいた雪男が、ふと顔を上げる。

「……まさか…………」

先ほど、夢うつつの状態だった時に、『神父《とう》さんのおじやが食べたい』とつぶやいていたのではないだろうか。

それを兄が聞いていたとして――。

兄のことだ、なんとか弟の願いを叶《かな》えてやりたいと思うだろう。

(こんな寒い日に……傘もささないで)

かじかんだ手で地面に積もった雪を払いながら、懸命にナズナやハコベを探す兄の姿が脳裏《のうり》をよぎり、雪男は眼鏡の奥の両目を細める。胸の奥に、うれしいような切《せつ》ないような、悲しいような、痛いような、あったかいような、それでいて、なぜか腹立たしいような――なんとも表現しにくい感情があふれてきた。

「…………ホント、バカなんだから」

にじんだ声でつぶやき、ぐっと唇《くちびる》を引き結ぶ。

その足がもと来た道を辿《たど》る。少しだけ大きな長靴を履《は》いた足は、先ほどよりだいぶ速く動いている。

兄の真意がわかった今、自分は一刻《いっこく》も早く家に戻り、大人しく寝た振りをしていなければならない。そして、驚いてみせなければ……。

すごいや、これ、兄さんが作ったの？

――と。

きっと、兄は得意満面で『まーな』と答えるだろう。そして、えへへと笑い、くすぐったそうに鼻の下を指でこするのだ。

（そうだ、皆にも、言っとかなきゃ）

燐がいなくなっていたことなど、気づきもしなかった振りをすること。

勝手にお昼を食べてしまわないこと。

たとえ、どんな恐ろしいものが出てきたとしても、喜んで残さず食べること。

（……せめて、雪が止《や》んでくれればいいのに）

そうしたら、少しでも兄が寒くないのに、と傘越しにどんよりと曇《くも》った空を見上げる。

そんな雪男の心などおかまいなしに、雪はどんどん降ってくる。

いつもならうれしいはずの大きな牡丹雪《ぼたんゆき》が、今日に限っては恨《うら》めしかった。

✞

野草は思ったほど見つからず、ビニール袋半分ほどにしかならなかった。

「まあ、これでいいか…………うーっ……さみぃ」

かじかんだ両手にはぁーっと息をかけてあたためながら、燐《りん》が次に目指《めざ》したのは自分たちが通っている小学校だった。

学校自体は休みだが、高学年のクラブ活動は行われているので、施錠《せじょう》はされていない。

校門をくぐり下駄箱《げたばこ》を通りぬけ、校庭の隅《すみ》に向かう。

すっかり葉を散らした銀杏《いちょう》の木の下で燐の足が止まる。

「……ここにだけは、きたくなかった」

神妙な顔になった燐が、無理やりしぼり出した低い声で、外国映画の主人公のような台詞《せりふ》をもらす。その視線の先には、すっかり赤茶けた鉄の網《あみ》で出来たニワトリ小屋がある。

半年ほど前、生徒の情操《じようそう》教育のためにと設置されたものだが、八羽いるニワトリがそろいもそろって恐ろしく凶暴であることから、誰もが小屋の掃除を嫌《いや》がるようになり、結果、小屋内は荒れ果てた。その不潔さがストレスとなりニワトリがさらに凶暴化し、皆が小屋に近づかなくなる……という完全に負《ふ》のスパイラルにはまってしまった一画だ。

土日など、学校が休みの折《おり》に自主的に掃除を行った生徒は、産みたての卵をもらっていいことになっていたが、誰一人やりたがる者はいなかった。

つい一週間ほど前にも、流血事件が起きたばかりだ。

燐が、ごくりと生唾《なまつば》を飲みこみ、鉄網に近づくと、中のニワトリが一斉《いっせい》に威嚇《いかく》を始めた。バサバサと羽をはばたかせ、鋭いクチバシを破れた網の隙間《すきま》から出して、燐の足の肉をついばもうとしてくる。

「！　わっ!!」

驚いた燐が後ろに飛《と》び退《の》く。思わず落としそうになってしまった大切なビニール袋をしっかりと胸に抱きかかえ、

「……こえぇ」

と怯《おび》える。

あたりに、雪に混じって真っ白な羽が舞った。その向こうから、どこのゴロツキだというような凶悪な目つきをしたニワトリたちが、こちらをねめつけてくる。その迫力に、さらに後退《あとずさ》りそうになる自分を必死に押《お》しとどめる。

ここで卵を入手する以外、方法はないのだ。ぎゅっと唇《くちびる》を噛《か》みしめ、

「そうだ……ニワトリなんか、ちっともこわくねえぞ!! この、きょうぼうなトサカあたまめ!」

燐が精一杯強がってみせる。

そして、掃除用の竹ぼうきを握《にぎ》りしめると、わあわあ、叫びながら檻《おり》の中へと飛びこんでいく——。

直後、

「ぎいゃあああああああああああ……!!」

ニワトリの羽音と鳥類にあるまじきドスの利《き》いた鳴き声に混《ま》じって、天を裂《さ》くような悲鳴が、ニワトリ小屋から響《ひび》きわたった……。

——それから約一時間後、どうにか産みたての卵を二つ手に入れ、ボロ雑巾《ぞうきん》のような姿

で修道院に戻ると、すでに夕方だった。

ぐうぅ……と燐のお腹《なか》が鳴る。

「はやくしないと、チャーハンがきちゃうや」

皆に――特に雪男《ゆきお》に見つからぬよう、こそこそと厨房《ちゅうぼう》へ向かう。

「さあ、つくるぞ！」

勇ましく袖《そで》まくりし、椅子《いす》にかかっていた料理当番用のエプロンを見よう見まねで腰にぐるぐると巻く。大人《おとな》用のエプロンは長く、小さな燐がつけると、すそを引きずるぐらいだったが、急に大人になったような気がした。

「おーお、かっけぇー!!」

自画自賛した後で、養父の手順を思い出しながら大きな鍋《なべ》とボウルを用意し、冷蔵庫の中から、冷《ひや》ご飯と味噌《みそ》、出汁《だし》のもとを取り出す。

まずは――体中の至《いた》るところに生傷《なまきず》を作り、髪の毛をむしられながらも手に入れた――大切な卵を慎重《しんちょう》に割る。平たいところで割らず、ボウルの縁《ふち》にぶつけて割ったため、殻《から》が入ってしまったが、なんとか黄身をつぶさずに割ることができた。

しかも――、

「きみがふたつ……」

ボウルの中にちょこんと二つ並んだ黄身に、燐が目をまん丸にする。

そして、擦《す》り傷《きず》だらけの顔でにっと微笑《ほほえ》んだ。

「オレと雪男だ」

それから、もう一個の卵を割る。

「――これは、おおきいからとうさんだな」

今度の黄身は一個で、丸々と大きく、濃《こ》いオレンジ色をしていた。三つになった黄身に、

「えへへ」

と両目を細めてこそばゆそうに笑いながら、長い菜箸《さいばし》で懸命《けんめい》に混ぜる。

それから、キレイに洗った野草をキッチンばさみで刻《きざ》み、水を張った鍋に入れ、火にかける。ぐつぐつと沸騰《ふっとう》してきたところで出汁のもとを入れ、さらに味噌を少しずつ溶《と》きながら加える。

そこに水で洗ってザルに上げたご飯を入れ、かき混ぜながら弱火で軽く火を通し、最後にゆっくり卵を溶き入れれば――、

「できた!!」

出来上がったそれに燐が両方のほっぺを紅潮《こうちょう》させて叫ぶ。

ほこほこと湯気の立つおじやは、養父の作ったものよりだいぶ見栄《みば》えが悪かったが、ふんわりと味噌の芳《こう》ばしい香りが匂《にお》い立《た》つ、なかなかの出来栄えだった。

それを人数分の椀《わん》によそい、レンゲを添《そ》え、四角いお盆の上にのせてこぼさないように運ぶ。

皆が寝ている部屋まで行き、ドアの前で一度床にお盆を置いて、不審《ふしん》がられないようにクチバシで突《つつ》かれたボサボサの頭を整《ととの》える。――それから、ドアを開けた。

五人はひどく行儀《ぎょうぎ》よく寝ていた。だいぶ前に巻いたネギや額《ひたい》につけた梅干《うめぼ》しもちゃんとそのままだ。時折《ときおり》、思い出したように、奇妙に大きなイビキが聞こえてくる。

「みんな、ごはんだぞー！」

燐が声をかけると、一斉《いっせい》に目を開け「おお、そうか。ありがとうな」「ああ、腹減ったなぁ～」「うーん……もう、そんな時間か」とやや棒読みに告《つ》げる。それから、ひどくぎこちない動作で示し合わせたように身を起こした。

燐の姿を見た丸田《まるた》が、太い首を傾《かし》げてみせる。

「あれぇ？　燐君、傷だらけだけど、どうしたの？」

「！　ダメッスよ。丸田さん！　それは、気づかない振りしとかなきゃ……!!」

和泉《いずみ》がこそっと――その実《じつ》、かなり大きな声でたしなめる。男所帯だけあり、すべてが大雑把《おおざっぱ》だ。

「ああ、そうだった。ゴメン、ゴメン。よく見たら、ケガなんかしてなかったよ」

丸田が坊主頭を掻《か》きながらわざとらしく言い直す。

そのとなりで雪男が、

（ダメだ、こりゃ……）

というように小さな頭を抱《かか》えている。

だが、根が素直《すなお》な（単純とも言う）燐は、その不自然さにはまるで気づかず、再びお盆を持ち上げると、布団《ふとん》の合間を縫《ぬ》うようにして、皆におじやを配ってまわった。

最後に弟の布団の脇《わき》にちょこんと座る。

お盆には子供用の椀が二つ、のっている。青と白――どちらも特撮ヒーローのイラストがついたプラスチック製で、半年ほど前に南十字商店街にある瀬戸物屋の店先でさんざ駄々《だだ》をこねまくり、買ってもらったものだ。

燐が雪男の布団に身を乗り出し、眉間《みけん》にぎゅっとしわを寄せた不安そうな顔で弟に尋《たず》ねる。

「雪男、だいじょーぶか？　まだ、くるしーのか？」

「うん。もう全然、大丈夫だよ。熱も下がったみたい」

雪男がにっこり笑う。確かにその顔色は朝方よりもぐんとよくなっていた。そっか、と安堵《あんど》した燐が、白い方の椀を弟の手にそっとわたす。

立《た》ち上《のぼ》る湯気《ゆげ》で、雪男の眼鏡《めがね》が真っ白く曇《くも》った。雪男の頬《ほお》がふわりとほころぶ。

「わぁ……おじやだね」

「おう！」

「兄さんが作ってくれたの？」

うれしそうに尋ねてくる弟に、燐が前もって何度も練習した台詞を口にする。

「さっき、とうさんがもどってきて、これをつくっていったんだ」

「え………」

ようやく曇りが取れてきたレンズの奥で、雪男の目が驚いたように燐を見つめてくる。

「神父《とう》さんが……？」

「――う、うん。そう、とうさん」

　その視線に、嘘《うそ》の苦手《にがて》な燐が少し狼狽《ろうばい》しながら告《つ》げる。

「す、すげえ、いそがしい？　――とかいって、すぐにもどっちゃったけど、これは雪男のためにとうさんがつくったおじやなんだ。だから、オレがつくったんじゃないぞ？　ホントだからな」

「…………」

　兄の言葉に弟はじっと手の中のお椀を見つめると、どこか痛そうな顔で――今にも泣き出しそうに両目を細めた。

「ゆ、雪男!?」

　燐が慌《あわ》てて弟の顔をのぞきこむ。

「どーした？　どこかいたいのか？」

「……ううん」

　雪男は小さく首を横に振ると、顔を上げ、一変してひどくうれしそうに微笑《ほほえ》んでみせた。なんでもない、と言い、ふうふうと息で冷《さ》ましたおじやを口に運ぶ。燐がハラハラとそれを見守る。雪男がこくんとおじやを飲みこむ。反射的に燐の喉《のど》がごくりと緊張気味になった。

恐る恐るといった風《ふう》に尋ねる。

「ど……どうだ?」

「――おいしい」

噛みしめるようにつぶやいた雪男に、燐の顔がぱぁっと明るくなる。そして、

「まだ、おかわり、あるぞ!」

と興奮に上擦《うわず》った声で言い、他の皆にも「どうだ? おいしいか?」と尋ねる。

ああ、と長友《ながとも》がほろ苦《にが》く笑う。

「すごく美味《うま》いよ」

と妙に湿った声を出す。そのとなりでは、経堂《きようどう》がなぜか、手の甲で乱暴に目元をぬぐっている。

「俺、お代わりしようかなぁ~。モグモグ」

モリモリとおじやを口に運びながら丸田が明るく言い、

「丸田さん、ダイエットしたいとか言ってたじゃないっスか。また、太っちゃいますよ?」

と和泉がからかう。

「うーん――――でも、お代わり!」

ちょっぴり悩んだだけで、丸田がどんぶりのように大きなお椀を差し出してくる。燐が「おう！」とうれしそうにそれを受け取る。

ひょいと立ち上がり、台所に向かおうとするその痩《や》せた背中に、雪男が小さな声でつぶやく。

「――ありがとう、兄さん」

「!?」

それに驚いて弟を振り返った燐が、

「……なにいってんだ！　これは、オレじゃなくて、とうさんがもどってきて、つくったんだ！　オレはおじやなんかぜんぜんつくってないぞ!!」

どんぶりを片手に持ったまま、もう一方の腕を大袈裟《おおげさ》に振って、明らかに下手糞《へたくそ》な嘘を吐《つ》く兄に、耐《た》え切《き》れず雪男がくすくすと笑う。

「なんでわらうんだよ!?　雪男！」

顔を真《ま》っ赤《か》にして、自分ではないと言い張る燐を、大人《おとな》たちが「わかった、わかった」となだめつつも、結局は吹き出してしまう。――そして、

「ありがとうな、燐」

と経堂が口にしたのを皮切りに、

「頑張ったな、燐」

「ちょっと卵の殻が入ってるけど、うめぇぜ。燐」

「燐君、お代わりまだぁ〜？」

と口々に告げてくる。

そんな皆の反応に、

「え？　え？　え？」

と両目を白黒させていた燐が、ますます躍起《やっき》になって「ちがう、ちがう！」と跳《と》び上《あ》がらんばかりに叫ぶ。

「みんなまで、なにいってんだ！　それはオレがつくったんじゃないんだってば!!」

それがさらに皆の笑いを誘い、冷たい雪が降りしきる中、南十字男子修道院の一室に、一足先に春が来たような明るい笑い声が満ちあふれた。

✝

「――――さぁて、こりゃ弱ったな」

ドアの隙間《すきま》から室内の様子を眺《なが》めていた獅郎《しろう》が、ドアの脇《わき》の壁に寄りかかり、腕組みした格好《かっこう》でつぶやく。

「死にものぐるいで任務を終わらせてきたのはいいが、どうにも入りづれぇことになってやがる」

今、獅郎が入っていったら、燐《りん》がせっかく、弟のために吐《つ》いたやさしい嘘《うそ》が――すでにバレバレだとしても――台無しになってしまう。

「ここは寒《さみ》ぃが、一つ、外をぶらついて、出前が来た頃に帰るとすっかな」

ったく、父親稼業《かぎょう》も楽じゃねえなぁ、と笑いながらぼやき、獅郎が再びドアの奥をのぞきこむ。

狭い視界に、真《ま》っ赤《か》な顔でわめく燐と、笑顔の雪男《ゆきお》の姿が見えた。

子供だ子供だとばかり思ってきたが、どちらも日々成長しているようだ。

最近小じわが出来始めた獅郎の目尻《めじり》が、すっと細まる。

「――いつか、アイツらと並んで酒を飲める日がくりゃあな……」

そんな日がくれば、どれだけうれしいか。どれほど、その日を望んで止《や》まないか――。

立派に成長した二人の息子に酒を注《つ》いでもらい、上機嫌《じょうきげん》で酔《よ》いつぶれる自分の姿を想像し、不意に胸が詰《つ》まった。喜びと痛み、期待と不安が入り混じった思いを、誰にも知られぬよう、そっと飲み下す。だが、嚥下《えんげ》しきれなかった分が、確かな苦《にが》みとなって口内に留《とど》まる。

こんな時は、二人の息子の年の数だけ禁煙しているタバコが、どうにも欲しくなる。

「我慢だ、我慢」

と、拳《こぶし》で首のつけ根あたりをトントンと叩《たた》いた獅郎が、ドアに背を向け、家鳴《やな》りのする廊下を、足音を立てぬよう忍《しの》び足《あし》で歩く。

黒い常服《カソック》に包まれたその広い背中は、子を想《おも》うあたたかな父のそれだった……。

✝

「雪男《ゆきお》ー。親父《ジジイ》のおじや、出来たぞー」

　お盆の上に土鍋《どなべ》とミネラルウォーターをのせた燐《りん》が自室に戻ると、弟はベッドの上で規則正しい寝息を立てていた。熱も少し下がったようで、頬《ほお》の火照《ほて》りも取れ、安らかな寝顔だった。

　留守番を頼んだクロが足下《あしもと》にじゃれついてきた。

『りん！　おれ、ちゃんとゆきお、みはってたぞ！』

「おー、サンキュー。後で、俺用に買ってきたゴリゴリくん半分やるからな」

　お盆を雪男の机の上に置いた燐が、その場にしゃがんで、小さな鼻を反《そ》らせたクロの耳の裏を掻《か》いてやる。

　気持ちよさそうに眼を細めたクロが、自慢げな口調で告《つ》げた。

『おれ、ひきょうなゆうわくにまけなかったぞ!!　いっしゅん、たましいをうりそうになったけど、ぐっとがまんしたんだ！』

「？」

　雪男の買収作戦など知りもしない燐は、何のことかと、しばしきょとんとしたが、すぐにクロを褒《ほ》め称《たた》え、その労をねぎらった。

「すげーな、クロ。えれーぞ！」

クロがうれしそうに、えへへと笑う。

その丸い硝子玉《ガラスだま》のような目がふと机の上の土鍋に注《そそ》がれた。土鍋の蓋《ふた》は少しずれ、ほこほこと湯気《ゆげ》が立っている。

ふんわり黄色い溶《と》き卵《たまご》にセリやナズナの緑が映《は》える自信作だ。味噌《みそ》の芳《こう》ばしい香りが食欲をそそる。

『それ、しろうのおじやなのか？』

「ん？ああ——つーか、コレは俺が作ったもんだけどな」

親父《ジジィ》がよく作ってくれたヤツだよ、と燐が答える。クロが小さな鼻をひくつかせる。一緒に左右の髭《ひげ》がぴくぴくと動いた。

『たまごがはいってるんだろ』

「なんで知ってんだ？？」

『ゆきおがいってたぞ。あったかくてやさしいあじだって』

「？　雪男が？」

燐が意外そうにベッドの上の弟を見やる。そして「そっか——」とつぶやくと、その目をふとやさしくした。「……コイツは親父《ジジィ》が大好きだったからな」

『じゃあ、おれたちみんないっしょなんだな』

おれもしろうだいすきだ、とクロがうれしそうに言い、ベッドの端《はし》に飛び乗り、雪男を起こしにかかる。それを燐が止めた。

「くたびれてんだろ。いいから、寝かせとけ」

『でも……せっかくのおじやがさめちゃうぞ?』

「いーって。そしたらまた温めて、皆で食おうぜ」

燐が笑ってクロを弟の脇《わき》から抱《かか》え上《あ》げ、床に下ろす。クロが、ゔーっという顔になる。

『おれ、なつはすきやきいがい、あついのはにがてだー……』

だらしなく舌を出してみせるクロに、

「そりゃ、おれだって、このクソ暑いのにおじやとかイヤだけどさ――」

燐がそう言いながら、ベッドの上の弟に視線をやる。すっかりデカく生意気《なまいき》になった弟は、しかし、寝顔だけは子供の頃と変わらないように思えた。「こーいうのは、皆で食った方が美味《うま》いだろ?」

そう言うと、クロがそれもそうだと言うように、

『まあ、しろうのだしな』

と長い尻尾《しっぽ》を揺らした。

そんな何げない台詞《せりふ》からですら、彼の養父《ようふ》への情愛の深さが透《す》けて見えるような気がした。

自然と燐の顔がほころぶ。

窓から差しこむ日差しで、古い木の床《ゆか》は砂浜のようにホカホカしている。夏のからりと乾いた風が汗ばんだ肌《はだ》に心地《ここち》よかった。

燐が笑顔のまま大きく伸びをする。

「んじゃ、それまで、俺たちも昼寝でもすっか」

「にゃー」

応じるクロの鳴き声がうれしげに弾《はず》む。

——やがて、男子寮旧館の六〇二号室に、二人と一匹分の寝息が安らかに響《ひび》きわたった。

蛇と毒

明陀《みょうだ》が正十字騎士《せいじゅうじきし》團《だん》に属すると聞かされた日、これで何もかも上手《うま》くいくのだと思った。

悪評の満盈《まんえい》。

櫛《くし》の歯が欠《か》けるように減っていく門徒《もんと》。

困窮《こんきゅう》を極《きわ》める財政。

そういった数多《あまた》の苦難を打ち払い、歴史ある明陀宗《しゅう》が息を吹き返すのだと——。

けれど、座主《ざす》の達磨《たつま》和尚《おしょう》は騎士團には入らなかった。


一度、芽生《めば》えてしまった疑念はなかなか拭《ぬぐ》い切《き》れない。むしろ、より深い闇《やみ》になって、この身を蝕《むしば》んでいく。

まるで、全身に毒がまわっていくように——。

「宝生《ほうじょう》さ〜ぁん」

「…………――」

少女らしいややキンキンとした高い声に、校舎の中庭を歩いていた宝生蝮《まむし》が無言で振り返る。

クラスメートの少女が三人、小走りにこちらへ駆け寄ってくる。蝮が足を止めると、そのうちの一人が、ねえねえ、と鼻にかかった声で尋《たず》ねてきた。

「宝生さんって、『みょうだしゅう』ってお寺の人なんでしょう?」

お寺の人ってなんや、と思いつつも「……そうやけど」とお国言葉で応じると、彼女たちの顔がパァッと華《はな》やいだ。ぐいっと身を乗り出してくる。

「じゃあ、志摩《しま》先輩とも知り合いなの?」

「ねえ、志摩先輩ってぇ、彼女とかいるのォ?」

「お弁当を作ってあげたいんだけど、卵焼きとか好きかな?」

少女たちが口々に尋ねてくるのは、蝮自身のことではない。蝮が疎《うと》ましく思っている幼馴染《おさななじみ》のことばかりだ。

（またか……）

蝮の眉間《みけん》に寄ったしわに気づかず、少女たちが勝手な質問を重《かさ》ねる。

誕生日はいつか、好きな色は何か、血液型は何型なのか、趣味は何か、好きな音楽は？ 好きなスポーツは？ 好きなブランドは――？ 果ては、朝はパン食派かご飯食派かまで、蝮にとっては果てしなくどうでもいいことを、事細《ことこま》かに聞いてくる。ここ正十字学園《せいじゅうじがくえん》は偏差値が高く、良家の子息子女が通う名門高校として位置づけられているようだが、年頃の少女の関心事というのはどこに行ってもそう大差ないらしい。

アホらしくなった蝮が、

「私《あて》になんぞ聞かんと、本人に聞いたらどうや？」

冷たい顔でそう告《つ》げ踵《きびす》を返すと、少女たちは呆気《あっけ》に取られたように黙った。だが、すぐに、

「何、アレ……」

と一人がつぶやいた。それに他の二人が一気に同調する。

「あんな言い方なくない？」「こっちは頭下げてンのに」「ってか、暗〜い」「宝生さんって、変わってるよねぇ」「だから、友達もいないんじゃない？」「クラスでも浮いてるし」「美人だと思って、ちょっとお高くとまってるよね」「目つき悪いしぃ」「しかも、蛇《へび》飼っているとか、マジ、怖《こわ》くない？」「あたし、ちょっぴり苦手《にがて》かも……」「あ、あたしも苦手え〜」

こそこそと――しかし、蝮の耳にはちゃんと届くように――ささやき合う。

蝮がそれを無視し歩き出すと、これみよがしに少女たちが互いの肩をつつき合う。

気にすることはない。さほどの悪意があるわけではない。単なる当てこすりだ。校舎の角《かど》を曲がったところで、蝮は眉間のしわを解いた。軽く息を吐《は》き出《だ》す。

「……この目つきは生まれつきや」

ぼそりとつぶやいた言葉が、思いの外《ほか》、寂《さび》しげで驚いた。

本当はわかっている。

自分がクラスメートの間で浮いていることも、上手《うま》く周囲と馴染《なじ》めていないことも――。

変な意地を張らず、彼女たちが知りたいことを教えてやればいいのだ。そして、それをきっかけに少しずつ距離を縮めていったらいい。いけすかない幼馴染などダシにしてしまえ。

わかっているのに……。

「ダメやな、私《あて》は……」

自分と引《ひ》き換《か》え、常《つね》に友人に囲《かこ》まれている志摩柔造《じゅうぞう》の陽気な顔を思い出し、殊更苦々《ことさらにがにが》しくつぶやく。

一つケチがつくと何もかもケチがつくものだ。

その日の昼休み。蝮が普段、昼食をとっている祓魔塾《ふつまじゅく》の裏庭にはすでに先客がいた。正十字騎士團《きしだん》の團服《だんぷく》を着たその中年男性は、噴水の縁《へり》に腰かけ、今まさに弁当の蓋《ふた》を開けようとしている。

祓魔塾で魔法円《まほうえん》・印章術《いんしょう》を教えている藤堂三郎太《とうどうさぶろうた》だ。

中肉中背。分厚《ぶあつ》い眼鏡《めがね》。いかにも気の弱そうな平凡な外見のぱっとしない講師だ。他の講師らといることもあるが、あまり皆の中心になるような人物ではないようで、一人でいるのを多く見かける。代々優秀な祓魔師《エクソシスト》を輩出《はいしゅつ》してきた名家の出ではあるが、この年で上二級というのはそれほど高い位《くらい》ではない。

普通ならば、生徒たちからも舐《な》められ、睡眠補給の時間になりそうだが、授業自体は面《おも》白《しろ》く、不思議と人を惹《ひ》きつける話をするため、生徒たちは皆、真面目《まじめ》に授業に臨《のぞ》んでいる。とりわけ、柔造などは藤堂の授業を愉《たの》しんでいるようだ。休み時間や放課後に、授業の質問をしているのか、廊下などで談笑している姿をたまに見かける。

（また志摩か……）

図《はか》らずも、またムカつく男のことを思い出してしまい、不機嫌《ふきげん》になった蝮がランチバッグを抱《かか》えてその場を立ち去ろうとする。

——と、

「お、おや……？　宝生くん……？」

背後から声をかけられた。

気配に気づかれたのだろう。仕方なく、蝮が立ち止まる。振り返ると、膝《ひざ》の上に弁当箱を置いた藤堂が控《ひか》えめに微笑《ほほえ》んでいた。人柄《ひとがら》が透《す》けて見えるような、気弱そうな笑《え》みだった。

「き、君もお昼を食べに、き、来たのかな？」

「——はい」

いいえ、と答えるのも不自然な気がしたし、正直に肯《うなず》く。結局、そのまま立ち去るのではあまりに感じが悪いと思い、藤堂から少し離れた芝生《しばふ》の上にタイツに包まれた足をそろえて腰を下ろした。

白いニーハイや、黒いロングソックスが主流の女子生徒たちの中で、蝮はいつも黒いタイツを履《は》いている。

幼い頃から着物や僧衣《そうい》を着てきたせいか、肌《はだ》を露出《ろしゅつ》するのが——下品な気がして——あまり好きではない。

そんなところも皆との距離を開かせているような気がした。お高くとまっているというクラスメートの誹《そし》りが脳裏《のうり》に浮かんで、すぐに消えた。

明陀にいた頃には抱《いだ》くことのなかった疎外《そがい》感に、蝮が両目を細める。孤独というほどではない。だが、淋《さび》しくないといえば嘘《うそ》になる。

妹の青《あお》や錦《にしき》、それに父様《てて》に会いたい。

「……なじめないのかい」

「え？」

ぽつりとつぶやかれた言葉に、蝮が顔を上げる。

分厚い眼鏡越しに藤堂の瞳《ひとみ》と目が合った。目尻《めじり》にしわの寄った穏《おだ》やかな目だった。

「君は、塾でも校内でも、ひ、ひ一人でいることが多いとお、思って……」

「…………」

胸に鈍《にぶ》い痛みが走る。見られていたのだ、といたたまれない思いで蝮が視線を下げる。

藤堂が慌《あわ》てたように己《おのれ》の言葉を補《おぎな》った。

「べ、別に、それが悪いというわ、わけじゃないよ……わ、私もあまり大勢でいるのは、と、と、と、得意ではないし」

いかにも教師らしい気の使い方だ。

しかし、続く藤堂の言葉は、蝮の想像を裏切るものだった。

「ムリに、お、己を変えようとすることはない……」

「え……」

「ムリにじ自分をひ、他人《ひと》と同じにしようとすれば、どうしても、歪《ゆが》みがで、出来てしまう。そして、ゆ、歪んだ自分にな、慣《な》れようともがき、さらに血を流すことになる。そ、それは、ひどく辛《つら》いことじゃないかな……」

藤堂が淡々《たんたん》と告《つ》げる。「ぼ、僕はいつも思うんだ。そ、そ、そうまでした先に、な、何があるんだろう、と――」

「………」

どうせ、その性格を直し、妥協《だきょう》を学び、皆と上手くやっていけるようになれ、というようなことをより婉曲《えんきょく》な表現を使って言われるのだろうと思っていただけに、意外だった。

でも、と蝮が躊躇《ためら》いがちに反論する。

「良い祓魔師《エクソシスト》になるには、チームワークが大切なんやないんですか……？」

周囲にさまよわせていた視線を講師の顔に戻す。

いろいろな授業で毎回それを指摘される。仲間を信じていないわけではない。だが、蝮には一人で突っ走りすぎるきらいがあった。先日も、講師の一人にそれとなく示唆《しさ》されたばかりだ。君は自分一人で何もかも背負いこみすぎだ、と。わかっている。わかっているのだが……。

「協調性か……」

藤堂は蝮の問いには答えず、眼鏡の奥の目をそっと細めた。私の好きな言葉にね、と言う。お世辞にも聞き取りやすいとは言《い》い難《がた》いが、不思議なほど存在感のある声だった。透明なようにも、深く澱《よど》んでいるようにも聞こえる。

「『まっすぐな道でさみしい』というのが、あ、あるんだ」

「山頭火《さんとうか》――ですか？」

確か、戦前の俳人《はいじん》だ。五七五にとらわれない自由な俳句で知られている。

「よ、よく知っているね」

藤堂がうれしそうににっこりする。口元と目尻にしわが寄った。「人の一生というのは、そ、そ、そういうことなんじゃないのかな」「……どういう意味ですか？」

抽象《ちゅうしょう》的な言葉に蝮が眉《まゆ》をひそめる。

続く台詞《せりふ》を待つが、それっきり何も言わず藤堂は視線を下げた。無言のまま、時が過ぎる。

だが、なぜか気づまりではなかった。

蝮が寮の調理場で作ってきた弁当――といっても、おにぎりに卵焼き、冷凍の牛肉とほうれん草を炒《いた》めたものくらいだが――を開く。俵形《たわらがた》のシンプルなおにぎりを口に運ぶ。

どうだろう、と唐突《とうとつ》に藤堂が尋《たず》ねた。

「私が、こ、これから出す課題を、やってみる気は、ないかい？」

「は？」

まったくもって脈絡《みゃくらく》のない言葉に驚いた蝮が、再び藤堂を見やる。

藤堂三郎太は、今度は教え子の視線をしっかりと受け止め、気の弱そうな顔でやさしく微笑んでみせた。


「何か、答えが見つかるかも、し、しれないよ――？」

✝

その週の土曜日、大きな川のほとりで轉石《バリヨン》を探しながら蝮《まむし》が不平不満をもらす。

「なにが、課題や……体《てい》のええ雑用やないか」

轉石《バリヨン》は石に憑《つ》く悪魔で、〝地の王〟アマイモンの眷属《けんぞく》だ。基本的にその場から動くことはなく、悪魔の階級としても下級。授業に用いられるというよりは、罰則《ばっそく》を犯《おか》した生徒の拷問《ごうもん》用に使用されることがほとんどだ。

（言い方は悪いが）

扱《あつか》い方さえ心得ていれば、それほど手を焼く悪魔ではない。

……ただ、五月の日差しはそれなりにきつく、じっとしていても汗ばむほどだ。こんな日に限って、群青色《ぐんじょういろ》の絵具を垂《た》らしたような空には雲の一つもない。しかも、河原にはそれこそ無数の石や岩があり、ぱっと見ではどれが囀石《バリヨン》かわからない。

もっとも、一度でも魔障《ましょう》を受けた者から見れば、岩の側面に陰気な顔のようなものが浮かび上がり、不気味な声で小さくうなっているのが囀石《バリヨン》だとわかるが、こう広いとその特徴を見つけ出すのも一苦労だ。

以前にも任務の一環《いっかん》でやらされたことがあるが、小一時間もやっていれば、腰も目も痛くなってうんざりしてくる。

――しかも、今回は……。

「どうして、アンタがおるんや」

近くで屈《かが》んでいる男の背中に向け、蝮が忌々《いまいま》しげに吐《は》き捨《す》てる。

昼間、蝮がここに着いた時にはすでにこの男がいた。蝮一人ではなく、もう一人声をかけてある、とは言っていたが、まさかこの男とは……。

「なんで休みの日まで、アンタのアホ面《づら》見なあかんねん」

一学年上の志摩《しま》柔造《じゅうぞう》は蝮の言葉に、「ああ?」とこちらを振り返った。制服のタイを軽くゆるめている。

一見、いかにも女子供に好かれそうな温和な顔立ちをしているが、意外に気の短いケンカっ早《ぱや》い男であることを、長いつき合いである蝮はよく知っていた。今も、眉間《みけん》に見事な縦《たて》じわが寄っている。

「それは、こっちの台詞《せりふ》や」

と柔造が、再び視線を河原の岩に戻しながら言い返してくる。「お前こそ、なんでここにおんねや？」

「私《あて》は藤堂《とうどう》先生に課題を出されたんや」

「俺は、藤堂先生に読みたかった本を借りた礼に、なんや用あったら手伝います言うとったら、昨日《きのう》の放課後、急に頼まれたんや」

二人はそこで一旦《いったん》、口を閉《と》ざした。

どうやら、あの凡庸《ぼんよう》を絵に描いたような気弱な教師に担《かつ》がれたらしい。蝮が大袈裟《おおげさ》に頭を抱《かか》えて、最悪や、とうめいた。

「……なんの因果《いんが》で、私《あて》がお申《さる》なんぞと」

「最悪なんはお互い様や。こうなったもんは、仕方ないやろ。ぶつくさ言うなや。ますます見られん面《つら》になんで」

「なんやと!?」

デリカシーの欠片《かけら》もない言葉に、蝮がキッと柔造をにらみつける。柔造も顔を上げ、二人は再びにらみ合ったが、同時に、フン、とそっぽを向いた。

「――とりあえずは、休戦や」

蝮に背中を向けながら柔造が告《つ》げる。真っ白なシャツが汗で背中にぴったりと貼《は》りついている。ロッククライミングが趣味というだけあり、筋肉質な背中だった。

「こないなことしとったら、いつまでたっても帰れへんぞ」

夜は寮の奴《やつ》らと麻雀《マージャン》の約束があるんや、と言う柔造に、蝮が小さく唇《くちびる》を噛《か》む。

彼が意識して言った台詞ではないとわかっていても、休みに何の約束もなく、親しく語らう友人の一人もいない自分を当てこすられたようで、どうしても気持ちがささくれ立つ。

「――フン。身勝手なことやな」

さすがは志摩家の中《さる》や、と蝮は精一杯平坦《へいたん》な声を出す。だが、ささくれ立った気持ちのせいか、わずかに強張《こわば》ってしまった。

柔造はそれに気づく様子もなく、

「集めた囀石《バリヨン》は、とりあえずあそこの草の上に置いとけや」

そう言うと、こちらを振り向き土手の下の草地を指さした。ここからそう距離がなく、まわりに岩や石がない。「後でまとめて札《ふだ》を貼ってから、スポーツバッグに入れて持って帰るさかい」

礡石《バリヨン》は基本無害だが、一旦手に持つとまるで身体《からだ》に吸いつくようにどんどん重くなるため、力を封じてからでないと長距離の持ち運びはまず不可能だ。

ゆえに、彼の出した指示は正しい。蝮が考えても、この男のそれとそう大差ないやり方に行き着くだろう。

だが――、

「お前はここら辺一帯を探せや。俺は、向こうを探す」

その言葉に眉《まゆ》をひそめる。

柔造が示した範囲は、どう見ても柔造の方が広く、しかも例の草地からだいぶ離れている。

明らかに、女である蝮と自分との筋力差を考えての配分だ。それにイラっとくる。

この男はいつもそうだ。どんなにいがみ合っていても、そういった配慮は忘れない。多くの少女たちが彼に魅《ひ》かれ、憧《あこが》れる所以《ゆえん》だろう。

だが、蝮はこの男のそういうところが虫唾《むしず》が走るほど嫌いだった。

偽《ぎ》善者《ぜんしゃ》ならばまだいい。その浅ましさを蔑《さげす》めば、それで溜飲《りゅういん》が下がる。だが、そうではない。この男のそれは……、

（コイツのこれは、『余裕』や……）

自分に余裕があるから、他者に気を配れる。男だから、力が強いから、才能があるから、人望が、自信があるから――。

（コイツは、ホンマ……バカにしくさって）

「――……なにを、当たり前のようにアンタが仕切っとんねん」

苛立《いらだ》たしげにうめくと、蝮はわざと柔造の肩にぶつかるようにして、その脇《わき》を通り過ぎた。

「私《あて》がこっちを探す。お申《さる》は、そこらへんを探しや」

有無《うむ》を言わせぬ口調でそう言うと、柔造の眉間に再び縦じわが寄った。せっかくの好意を無にしやがって、とでも思っているのだろうか。

（いや……そうやない）

そういうことを思わない男だからこそ、こんなにも腹が立つのだ。

無意識に他人を案じ、気を配ることのできる人間——そういった意味で、この幼馴染《おさななじみ》はこれ以上ない人たらしだった。だから、他人からも愛される。自然とまわりに人が集まる。幼い頃から、柔造は周囲の人間に愛される子供だった。明るくよく笑い、誰にでも懐《なつ》いてしまう。生意気《なまいき》で口が悪く、常《つね》につんとしていた自分とは大違いだ。

蝮が小さく舌打ちする。

「早《はよ》うしいや、何、ぼさっと突っ立っとんねん。さっさと働きや」

「ほんま、可愛《かわい》げのない女やな」

柔造が呆《あき》れたようにつぶやく。

大きなお世話や、と思った。

それから二時間近く、お互いに口も利《き》かずに嘯石《バリヨン》を探した。

焼けつくような日差しのせいで、皮膚《ひふ》がヒリヒリする。真夏ではないからと帽子を持ってこなかったことが悔《く》やまれる。

しかも、持ち上げたが最後どんどん重くなっていく嘯石《バリヨン》を抱《かか》えて歩くのは、思った以上に骨の折れる作業だった。すでに腕が痙攣《けいれん》している。だが、ここで弱味を見せるわけにはいかなかった。だから言わんこっちゃないという顔をされるのだけは、死んでもゴメンだ。

蝮はこめかみを伝う汗をぐいっと手の甲でわざと乱暴に拭《ぬぐ》うと、漬物石《つけものいし》ほどの囀石《バリヨン》を抱えた。手が触《ふ》れた瞬間、一気にそれは重くなる。いきなり上半身を起こすと腰に負担がかかるので、ゆっくりゆっくり上半身を戻し、そろりそろり土手の下の草地に向かう。一歩歩くたび、重さがどんどん増していく。

先に集めた囀石《バリヨン》の脇に下ろすと、思わずため息がもれた。一気に汗が吹き出す。

――と、肩のあたりに何かが当たった。その周囲をひんやりとした冷気が覆《おお》う。見ると、うっすらと氷のついたペットボトルが差し出されていた。ちなみに、京都《きょうと》の某《ぼう》お茶メーカーのものだ。その先には仏頂面《ぶっちょうづら》の柔造が立っている。

「ほれ」

と無愛想《ぶあいそう》に勧《すす》めてくる。

ペットボトルの発する冷気に、急速な喉《のど》の渇きを覚えたが、蝮はあえて冷淡な声で尋《たず》ねた。

「なんのつもりや」

「めぐんだるわ」

「フン。余計なお世話や」

にべもなく拒絶する。さすがに柔造がムッとした顔になるが、差し出したものを引っこめる気はなさそうだ。

「勘違《かんちが》いすな。別に、お前のために持ってきたわけやあらへん」

そう言って、柔造がさらにペットボトルをこちらに押しつけてくる。中のお茶がチャポンと揺れる。

「藤堂先生が、もう一人あてがある言うてたから、ソイツの分もと思うて持ってきたんや。もちろん、俺の分もあるで」

それに、と続ける。

「来んのがお前やと知っとったら、持ってけえへん」

「なんやて？」

その言い様《ざま》に今度は蝮がムッとする。

だが、逆に、そういう話ならこれ以上意地を張るのもバカらしいと思ったのも確かだ。

喉も渇いている。

蝮は不承不承《ふしょうぶしょう》という風《ふう》にそれを受け取った。おそらく、昨日《きのう》の晩から凍《こお》らせていたのだろう。外気によって氷が溶《と》けかけたペットボトルが、手のひらの中で心地良《ここちよ》かった。

クライミングジムの壁で訓練するだけでなく、実際の山にも登っているせいか、大雑把《おおざっぱ》そうに見えてこういったことによく気のまわる男だ。

「いくらや？」

「は？　いらんわ。そんなん」

柔造が自分の分の茶を出して飲みながら、素《そ》っ気《け》なく言う。「セコイのは性《しょう》に合わん」

だが、蝮はギロリとその顔をにらむと、制服の内ポケットから小銭《こぜに》入れを取り出し、小銭を無理やり押しつけた。おごってもらう筋合《すじあ》いなどないし、そんなことで借りを作る気も毛頭《もうとう》ない。

「そっちはよくても、私《あて》がゴメンなんや」

きっぱりと言《い》い放《はな》つ蝮に、柔造がふうっと低いため息を吐《つ》いて、しぶしぶそれを受け取る。

「ホンマ、可愛げの欠片もない女やな」

蝮は「フン」と鼻を鳴らすと、柔造から離れた場所でペットボトルの蓋《ふた》を開けた。キンキンに冷えたそれを口に含《ふく》むと、馥郁《ふくいく》とした芳《こう》ばしい味わいがした。懐《なつ》かしい、京都のお茶の味だった。

こんなものでもひどく故郷が懐かしくなる。まだ、ほんの一か月だ。何年と離れているわけでもないのに――。

ペットボトルを両手で抱えたまま、蝮が思いもよらぬ郷愁《きょうしゅう》に耽《ふけ》っていると、柔造がこちらを見ずに口を開いた。

「……お前、友達おるんか?」

「!!」

不意打ちのような言葉に驚いた蝮が、とっさに返す言葉に詰まる。柔造の声音《こわね》は普段と変わらない。いかにもついでに話したという風で、なんの気負《きお》いもない。

「いつも一人でおるやろ」

「…………余計なお世話や」

蝮が絞《しぼ》り出《だ》すように答える。握《にぎ》りしめたペットボトルがギリッと硬《かた》い音を立てる。

胸の奥も同じ音を立てているような気がした。

『だから、友達もいないんじゃない?』

『クラスでも浮いてるし』

『君は、塾でも校内でも、ひ、ひ一人でいることが多いとお、思って……』

同じことをクラスメートにも言われた。昼行灯《ひるあんどん》のようにぼんやりとしたあの藤堂にまで指摘された。

ただ、あの時は今ほど、腹は立たなかった。

(どれだけデリカシーがないねん……だから、この申《さる》は嫌いなんや)

「私《あて》がどうしようと、アンタには関係あらへんやろ」

強張《こわば》った顔で冷たく言い放つと、

「俺かて、気にしたくて気にしてるわけやあらへん」

柔造がしかし幾分憤然《いくぶんふんぜん》とした顔になった。そして、

「――ただ、お前のこと、頼まれてんねん……春休みで帰った時――お前が、こっち来る前や」

少しばかり声を小さくした。それこそ想像すらしない返答に、蝮が眉間にしわを寄せる。

柔造の横顔を見やって尋ねた。

「頼まれてるて……まさか、父様《てて》にか?」

父様《てて》も、なんでこないなヤツに、と思っていると、

「ちゃうわ」相変《あいか》わらずこちらを見ようとせず、柔造が軽く頭を振る。「蟒《うわばみ》の小父《おじ》さんに言われたんやない。和尚《おっさま》や」

「!!」

今度こそ本当に驚いて、蝮が幼馴染の横顔をまじまじと見すえる。

柔造は飲みかけのペットボトルに蓋をすると、

「お前のこと心配しとったで」

とぶっきらぼうに言った。

「あの娘は誤解されやすいだけで、ホンマはええ子なんや、言うとったわ。だから、お前が気ぃつけてやってくれってな」

「………」

一瞬、達磨《たつま》和尚《おしょう》の笑顔が脳裏《のうり》をよぎる。

じんわりとあたたかいものがこみ上げてくる。しかし、それはすぐに暗い闇《やみ》に飲みこまれていった。

——でも、勝呂《すぐろ》達磨はあの時、正十字騎士團《せいじゅうじきしだん》に入らなかった。

真に明陀《みょうだ》のことを考えるなら、明陀を守る座主《ざす》の血統としての誇《ほこ》りを忘れていないのなら、率先《そっせん》して祓魔師《エクソシスト》となり、皆を率《ひき》いていくべきだった。蝮もそれを望んだ。だが、彼はそうしなかった。それどころか、ふらふらといつもどこかへ消えてしまう。最近では、門徒への説法《せっぽう》もまともにしないようになったという話だ。

(明陀が、大切やないんか……)

猜疑心《さいぎしん》が蝮の心のやわらかい部分を喰《く》い荒《あ》らしていく。

まるで蛇《へび》が自《みずか》らの毒に侵《おか》されるように——。

硬い表情で蝮が黙っていると、柔造は再び低いため息を吐《つ》いて、無言で作業に戻っていった。

一人残された蝮は手の中のペットボトルをじっと見つめた。

八割がた溶《と》けたお茶の中に、まだ氷の塊《かたまり》が残っている。

ボトルについた水滴が手のひらを不快に濡《ぬ》らした。

「――もう、こんなもんでええやろ」

柔造《じゅうぞう》が声をかけてきたのは、西の空に沈みゆく太陽があたりを真《ま》っ赤《か》に染《そ》めた時分だった。

「そろそろ帰らな、藤堂《とうどう》先生が心配するで」

それまでほぼ無言で囀石《バリヨン》を探していた蝮《まむし》は、もうそんな時間なのか、と顔を上げた。そういえば、いつの間にか汗をかかなくなっていた。

吹きつける夕風からは熱気が消え、代わりに肌寒《はだざむ》いような冷たさを帯《お》びていた。汗で湿っていた制服に風が冷たい。

確かに、もう帰らなければ寮に着くのが遅くなってしまう。

だが、蝮は素直《すなお》に肯《うなず》けなかった。

（私《あて》の方が、全然、少ないやないか……）

あの後、別のことにばかり気を取られてイライラしていたせいか、まるで集中できなかった。その間に柔造は黙々と集め、二人の差は歴然だ。それが口惜《くや》しくて仕方ない。

赤く染《そ》まった河原に目を凝《こ》らしながら、

「あと少しや」

と粘《ねば》る。

「ええ加減にせえ、蝮」

柔造の声にかすかな苛立《いらだ》ちが混《ま》じる。「日が沈んだら悪魔の刻限《こくげん》や。所詮《しょせん》、蠣石《バリヨン》や思うとると痛い目遭《あ》うで」

わかってるわ、と胸の中で応じ、岩場の陰《かげ》をのぞく。すると、低いうめき声が聞こえた。顔の部分が岩陰に隠れてわからなかったが、かなり大きな蠣石《バリヨン》だった。大玉《おおだま》の西瓜《すいか》ほどの大きさがある。

やった、と蝮の表情が緩《ゆる》む。

さっそく、手を伸ばして抱《かか》える。よくよく見るとその蠣石《バリヨン》はひどく凶悪な顔をしていた。ゆがんだ唇《くちびる》の端《はし》から獣《けもの》のうなり声のようなものを発したかと思うと、ガタガタと震《ふる》え出《だ》す。

「!?」

「！　あかん！　早《はよ》う、捨て!!」

離れた場所から柔造の叫び声が聞こえる。

蝮がとっさに両手を放《はな》そうとすると、轉石《バリヨン》が胸に体当たりしてきた。

「つう……」

鈍《にぶ》い痛みとともに、バランスが崩《くず》れる。そのまま、蝮が河原に倒れる。轉石《バリヨン》は蝮から離れて宙に飛《と》び退《すさ》ると、彼女の頭部目がけて落下してきた。その重さで頭をかち割る気だ。

「く……っ……オン・アミリティ・ウン・ハッタ――」

蝮が両手で印《いん》を結び、蛇《ナーガ》を召喚《しょうかん》しようとするが、内心の動揺が伝わってか蛇《ナーガ》が現れない。

（あかん――）

ぐっと目をつぶった瞬間、

「オン！　シュチリ・キャロハ・ウンケン・ソワカ!!　キリーク!!!」

真言《しんごん》とともに、錫杖《キリク》が宙を切《き》り裂《さ》き、蝮の眼前まで迫《せま》った轉石《バリヨン》を打《う》ち砕《くだ》いた。

粉々になった岩の塊《かたまり》が降《ふ》り注《そそ》ぐ。かすかに熱を帯びたそれは、砂漠の砂礫《されき》のようだった。

「…………」

声が出なかった。心臓がバクバク言っている。

助かったのだ、という思いが、胸の隅《すみ》でどこか現実味のないふわふわとした水泡のように浮かんでいる。

呆然《ぼうぜん》としたまま蝮が身を起こすのと、

「何やっとるんや!! お前は!」

こちらに駆け寄ってきた柔造が怒鳴《どな》りつけるのと、ほぼ同時だった。

「古い強力なヤツや、お前、もう少しで、どたまかち割られるとこやったんやぞ!?」

「…………」

こめかみに青筋《あおすじ》の浮かんだ顔で自分をにらみつけてくる幼馴染《おさななじみ》を、蝮はしばらくの間、呆然と見つめていた。

やがて、あらゆる感覚が戻ってくる。一番先に湧《わ》き上《あ》がってきたのは、羞恥《しゅうち》だった。信じ難《がた》い失態だ。

いたたまれない気持ちでいっぱいになる。蝮は苦《にが》い表情でそれを誤魔化《ごまか》し、

「——助けてくれやなんて、頼んだ覚えはない」

柔造から顔を背《そむ》けた。さも憎々しげに吐《は》き捨《す》てる。

「出しゃばりなお申《さる》が、勝手なことしくさって」

「!!」

視界の端《はし》で、柔造の顔が歪《ゆが》むのが見えた。

理不尽《りふじん》なことを言っている自覚はある。仮にも助けられたのだ。それを——。

今度こそ激怒《げきど》するだろうと思ったが、深いため息を吐《つ》くと、自身の黒い短髪をガシガシと掻《か》き毟《むし》った。そして、呆《あき》れ果《は》てたようにも、うんざりしたようにも聞こえる声で、

「ほな、帰るで」

と言った。そのまま何も告《つ》げず、手元に戻ってきた錫杖《キリク》を握《にぎ》りしめ歩き出す。

その顔を見ぬよう、うつむいた姿勢で蝮が立ち上がろうとすると、

「！　……っ……!!」

右の足首に鋭い痛みが走った。

小さくうめいてその場にうずくまる。おそらく、先ほど、囀石《バリヨン》に胸部を突かれて倒れた際、足首をひねったのだろう。

「どないしたんや？」

柔造がこちらを振り向く。

煩《うるさ》い。邪魔《じゃま》だ。さっさと行け、と胸の中で毒づく。

「……なんでもあらへん」

蝮はそう答えると痛みを無視して立ち上がろうとし、声にならぬ悲鳴を上げた。再び座りこんでしまった蝮に、

「足、痛めたんか？」

柔造が尋《たず》ねてきた。

「歩けへんのか？」

「だから、なんでもあらへん言うとるやろ」

頑固《がんこ》に同じことを繰《く》り返《かえ》す蝮に、柔造が「……おまえは、ホンマに」とつぶやき、くるりと背中を向けた。そのまま、地面にしゃがみこむ。

「――なんの真似《まね》や？」

蝮が痛さにしかめていた眉《まゆ》を、今度はいぶしかげに歪める。

柔造が一言《ひとこと》。「おぶされ」

「はぁ？」

蝮が思わず痛みも忘れて両目を剝《む》く。そして、動揺する心を抑《おさ》え、侮蔑《ぶべつ》をこめた笑《え》みを浮かべてみせた。

「なんで、私《あて》が……志摩《しま》のお申《さる》なんぞに――――」

「意地張るんも大概《たいがい》にせえ」

言いかけた蝮の台詞《せりふ》を柔造が一喝《いっかつ》する。周囲の空気がビリビリと震《ふる》えるような怒気《どき》を孕《はら》んでいる。

その未《いま》だ見たことのない迫力にひるんだ蝮が、それでもなお、抗《あらが》おうと言葉を探す。ふと、制服のスカートに、先ほど打ち砕かれた囀石《バリヨン》の欠片《かけら》がくっついているのが見えた。それに本来の目的を思い出す。そうだ。こんなことをしている場合ではない。早く囀石《バリヨン》を持って帰らなければ、課題は失敗だ。

「大体、そないなことしたら、囀石《バリヨン》を持って帰れへんやろ……私《あて》は少し痛みが引けたら帰るさかい、アンタは先に帰りよし」

「アホか!!」

返ってきたのは、蝮でさえ思わずビクッとしてしまうような怒声《どせい》だった。

「たかが囀石《バリヨン》やぞ? 人の方を取るに決まっとるやろ!! それとも、お前やったら、囀石《バリヨン》を持って帰るために、怪我《けが》しとる奴《やつ》を見捨てて帰るんか!?」

「…………な……」

「また幾《いく》らでも集めに来たらええやろ。お前は、四角四面に考えすぎや」

「…………」

「早う、乗れ。阿呆《あほう》」

肩越しにこちらをにらみつけている幼馴染の顔に、返す言葉を失った蝮が、しぶしぶ、その背中におぶさる。

同年代の少女の中では軽い方だが、それでも四十数キロはある蝮を、柔造は軽々と背負った。しかも、片手には錫杖《キリク》を持ったままで。

汗で湿った背中が不快だった。けれど、自分以外の人間の体温がささくれ立った心をひどく落ち着かせもする。

不意に、子供の頃を思い出した。

あれは、小学生の頃だったろうか――？

父・蟒《うわばみ》に叱《しか》られた蝮は寺を飛び出し、不動峯寺《ふどうぶじ》でめそめそ泣いていた。なんで怒られたのかは、もう覚えていない。だが、あの時はこの世で自分が一番不幸なように思え、怒った父を恨《うら》めしく思い、子供じみたヘソを曲げていたのだ。

そのうち、雨が降ってきて、あたりが段々暗くなってくると、本気で悲しく、淋《さび》しくなった。

父様《てて》はきっとすごく怒っているだろう。もう、謝《あやま》っても赦《ゆる》してもらえないかもしれない……。

そんなことを考え、ひどく惨《みじ》めな気分でしきりにしゃくり上げていると、頭上にすっと大きな影がさした。

『あらら、こんな所に居《お》ったんか。蝮』

目をこすりながら顔を上げると、そこに番傘《ばんがさ》をさし、幼い息子《むすこ》の手を引いた達磨《たつま》和尚《おしよう》がいて、やさしい顔で笑っていた。四角い大きな顔に下《さ》がり眉《まゆ》の——菩薩《ぼさつ》様のような顔。

『父さん、心配してはったで』

読経《どきよう》で慣《な》らした、よく通るやさしい声が、不安を拭《ぬぐ》い去《さ》ってくれる。

『さあ、帰ろか』

そう言うと、和尚はなおもしゃくり上げる蝮をその大きな背中におぶってくれた。

『がはは、蝮も重うなったなぁ』

父様《てて》よりもずっと横に広い背中は、雨なのにあったかいお日様の匂《にお》いがした。まるで、世界で一番安全でやさしいゆりかごに抱かれているみたいだった。安心し切った蝮はそのまま眠ってしまった。

あの時は疑念なんて微塵《みじん》も抱《いだ》いていなかった。

和尚《おっさま》をただ敬愛し、信じ切っていられた。この人についていけばいいんだ、と。この人が皆を導《みちび》いてくれるのだ、と——。

幼い自分の世界はとても小さく、不変で、けれどとても満《み》ち足《た》りていた。

(なんで、こないな風《ふう》になってしまったんやろ……)

柔造の首筋《くびすじ》にまわしていた腕に、蝮がぎゅっと力をこめる。柔造がかすかに首を後ろに曲げ、視線だけをこちらに寄越《よこ》してきた。

「なんや……? 痛むんか?」

「……なんで、和尚《おっさま》は正十字騎士團《せいじゅうじきしだん》に入らへんのやろう」

柔造の問いには答えず、蝮が小さくつぶやく。風の音にさえ掻《か》き消《け》されそうなそれを、しかし、幼馴染の男は聞《き》き逃《のが》さないでくれた。

首を前に戻して穏《おだ》やかに答える。

「——他にやることがあるんやろ。前に、そう言うとったやないか」

その屈託《くったく》のない言葉に、

「他にやることってなんや？」

蝮の眉間に再び深いしわが寄り、声が険《けん》を帯びる。「仮にも明陀宗《みようだしゆう》の座主《ざす》なら、先陣《せんじん》切って正十字騎士團に入って、門徒《もんと》を教え導くべきやないんか？　それが座主の役目やないんか？」

こういった疑念を誰かにぶつけたのは初めてだった。

必死だった。わらをもつかむ思いで……口にした。

だが、蝮の身をよじるような叫びを、柔造は笑っていなした。

「和尚《おつさま》には和尚《おつさま》の考えがある。俺ら門徒は、それを信じとったらええ」

「……信じる……？」

「そうや。俺らの和尚《おつさま》やないか。信じないでどないすんねや」

「…………」

「考えすぎや、蝮。もっと気楽にせな、疲れてまうで」

幼馴染の明るい笑い声と反対に、蝮の中に絶望的な苛立《いらだ》ちが広がっていく。

どれほど言葉を重《かさ》ねたところで、この男の絶対的な信頼を覆《くつがえ》すことはできない。

まるで主《あるじ》を妄信《もうしん》する飼い犬のように、達磨和尚《おしよう》に右を向けと言われたら、何時間でも右を向いているような男なのだ。

否《いな》、この男だけではない。

志摩家の面々や、父様《てて》でさえ——。

無条件に勝呂《すぐろ》達磨を信じ切っている。

だが、蝮の中には疑念が生まれてしまった。そして、それは蝮の暗い胸中を喰《く》らい血肉とするかのように徐々に育っている。蝮自身を苛《さいな》み、破壊しながら。

(おかしいのは、私《あて》の方なんか? 私《あて》が考え過ぎなんか?)


——疑うな、案ずるな、信じとったらええ。


その言葉が蝮に与えるのは安堵《あんど》ではない。

苛立ちだ。

どうしようもない苛立ちが、蝮を追《お》い詰《つ》め、孤独にする。

蝮はこれ以上の問答を止め、瞼《まぶた》を閉じた。この先、どこまで突き詰めようとも互いの主張が重なり合うことはないだろう。それどころか、柔造は蝮の疑問にまともに向かい合おうともしない。

和尚《おつさま》を信じろ、と笑うだけだ。

虚《むな》しさと、苛立ちばかりが増えていく会話をこれ以上続けるのは、苦痛以外の何ものでもなかった。

かすかな震動が伝わるたびに右の足首が痛む。蝮は無言で眉をひそめた。

それに気づいたのか、柔造がさりげなく歩くペースを抑《おさ》える。

真っ赤に染まった視界の中で、その気遣《きづか》いさえも疎《うと》ましかった。

✝

正十字《せいじゅうじ》学園に着いたのは七時過ぎ——。それから医務室に寄り、治療をしてもらって八時。

さらに祓魔塾《ふつまじゅく》に着いたのは八時過ぎだった。

「ど、ど、どうしたんだね？　そ、そ、その足は……」

講師室を訪ねると、出てきた藤堂《とうどう》が驚いたように尋《たず》ねた。

うつむいたまま自分の失態を答えようとする蝮《まむし》を制し、

「さっき、医務室で見てもらいました。ただの捻挫《ねんざ》で、骨に異常はないゆうことです。

囀石《バリヨン》は、すんません。明日、俺が行って持って帰ってきます」

柔造《じゅうぞう》が頭を下げる。蝮が唇《くちびる》を嚙《か》んで、己《おのれ》も頭を下げる。

藤堂は二人を交互に見ていたが、

「そ、そんなことより、宝生《ほうじょう》くんのケガが、た、大したことなくて、ほ、本当に良かった」

そう言って、二人の頭を上げさせた。

そして、課題の件で蝮に少し用があるからと告《つ》げ、柔造を先に帰した。柔造は負傷した蝮を気にしつつ「なんか、あったら連絡せえ」とぶっきらぼうに告げると、来た時と同じように礼儀正しく講師室を出ていった。

残された蝮は課題の失敗を叱咤《しった》されるのだろう、とわずかに身を固くした。しかし――、藤堂の口から出たのは、まったく違う言葉だった。

「か、彼は、わ、私の知っている人たちによく似ているよ……も、もっとも、性質や姿形は、ぜ、全然似ていないが――」

その後、少し間《ま》を置いてから、自分ともね、とボソリとつぶやいた。

「……え……?……」

蝮がいぶかしげな顔になる。

『彼』というのは、今までの流れから柔造を指《さ》しているのだとわかるが、『私の知っている人たち』というのが誰を指しているのか、蝮には知りようもない。

どう答えたらいいのかわからず黙っていると、藤堂が先を続けた。

「彼には、ま、迷いというものがない」

「…………」

「強く、ゆ、優秀で、己の職務に忠実だ。だ、誰からも敬愛される、り、立派な祓魔師《エクソシスト》になるだろう」

蝮が再びうつむく。

柔造を褒《ほ》める藤堂の言葉の裏に、それに引《ひ》き換《か》え……という自己否定に繋《つな》がる言葉を探してしまう。だが、藤堂はそこで一旦《いったん》言葉を区切ると「き、君は、君だ」と言った。

「別の人間に、な、なろうとすることはない」

「え……?」

驚いた蝮がわずかに顔を上げると、藤堂は分《ぶ》厚《あつ》い眼鏡《めがね》の奥でやさしく笑っていた。

「き、君は、君だ」

その言葉が蝮の中にある暗闇《くらやみ》に明るい火種を灯《とも》す。

それはひどく危《あや》うい脆《もろ》さを持って蝮の中にぽつんと灯った。


「大事なのは、つ、常《つね》に、げ、げ、現状に疑問をも、持ち続けることだ——」


——君はそれができる子だよ。

そうささやいた藤堂は、まるで、かつての達磨《たつま》和尚《おしよう》のようにあたたかくやさしい目で教え子を見つめていた。

その眼差《まなざ》しに思わずにじんでしまった両目を見られたくなくて、蝮が深く頭を下げる。

藤堂はどこまでも穏《おだ》やかな笑顔でそれを見守っていた。

✝

宝生　蝮《ほうじょうまむし》が部屋を辞《じ》した後、今までのいかにも教師然とした藤堂三郎太《とうどうさぶろうた》の表情が大きく変容した。

「――いい子だ」

実に扱《あつか》いやすそうな子だ――。

そうつぶやく声は、先ほどまでとがらりと異《こと》なる歪《いびつ》さを孕《はら》んでいた。妙に明るく上《うわ》っ調子なその声音《こわね》からは、大切なものが――言うなれば人間らしさというものが欠如《けつじょ》していた。

藤堂は上機嫌《じょうきげん》に奇妙な鼻歌を口ずさみながら、部屋の奥にある机の前まで行くと、二組のファイルを手に取った。

分厚《ぶあつ》い眼鏡《めがね》の奥で、落ちくぼんだ両目が糸のように細まる。

「うーん。どちらにしようかなぁ～」

歌うように言う。なめらかな口調だった。弾《はず》むように両者を行き来していた視線が一方で止まる。

「やっぱり、君にすることにしよう」

そう言うと、藤堂はにこやかに一つのファイルを手元に残し、もう一方を脇《わき》のダストボックスにバサリと落とした。

手元に残された方のファイルには、

『宝生蝮』

ダストボックスに棄《す》てられたファイルには、

『志摩《しま》柔造《じゅうぞう》』

の名が記《しる》されている。

「さぁてと……」

机を背にし、軽く寄りかかった藤堂がファイルに目を落とす。入学時に撮《と》られた証明写真の奥から、生真面目《きまじめ》な顔でこちらを見すえている蝮に向かい、藤堂が唇《くちびる》の端《はし》を愉《たの》しげに歪《ゆが》める。

「人はね、信じたいという気持ちが強ければ強いほど自《みずか》ら猜疑心《さいぎしん》に呑《の》まれるものなんだよ。その願いが足枷《あしかせ》となってね」

教え諭《さと》すような物言いとは裏腹《うらはら》に、その声はどこまでも乾いていた。

「君にはその資質がある」

その双眸《そうぼう》にぞっとするほど冷たい光が浮かぶ。

いつの間にか、藤堂の足下《あしもと》から肩にかけて、深く昏《くら》い闇《やみ》が覆《おお》い被《かぶ》さるように蠢《うごめ》いていた。

酷薄《こくはく》な唇の両端が、あたかも人を喰《く》らうように、歪にめくれ上がる。


「これから、存分に役に立ってもらうよ。宝生蝮くん」

†

——それから、幾月《いくつき》か後。


「ここだけの話なのですが……君、〝不浄王《ふじょうおう》の左目〟というものを知っていますか？」

「え？」

講師室に呼ばれた蝮《まむし》は、いかにも戸惑《とまど》った様子で尋《たず》ねる藤堂《とうどう》に、その顔をみるみる強《こわ》ばらせた。

「左目？　そ……そんなものが存在するんですか……？」

上擦《うわず》った声で逆に尋ね返す。

その胸の内が仄暗《ほのぐら》い猜疑心《さいぎしん》にまみれていくのを、彼女の父親や同胞《どうほう》、教師の誰一人として知る由《よし》もなかった。

藤堂三郎太《さぶろうた》――ただ一人を除《のぞ》いては。


「じ、実《じつ》はね、僕は長いこと、り、理事長の行動に不信を抱《いだ》いているんだ……き、き、君らの座主《ざす》の……勝呂達磨《すぐろたつま》氏が、それに共謀《きょうぼう》しているのではないかと、お、思っていてね」

「……そんな……和尚《おっさま》が」

「ぼ、僕に力を貸してくれないかい？　宝生《ほうじょう》くん――」

「…………」


すべては、愛する明陀《みょうだ》を守りたいがゆえ――。

そして、蛇《へび》は自《みずか》らの毒にまみれた。

いつかのメリークリスマス

「――なんや、この箱？」

押入れの中に上半身を突っこんでいた志摩柔造《しまじゅうぞう》は、隅《すみ》っこでほこりをかぶっているアルミの缶を見つけ、首を傾《かし》げた。

ムダにアンティーク調の華《はな》やかなデザインから菓子箱らしいとわかるが、かなりの年代物らしく、ところどころ塗装《とそう》が剝《は》げている。ひん曲がった蓋《ふた》の真ん中のあたりが歪《いびつ》に陥没《かんぼつ》していて、とても大層な物が入っているようには見えない。試しに持ち上げるとずっしりと重かった。

とりあえず外に出すと、大量の綿《わた》ぼこりが宙に舞った。

「ゴホ……ッ……えらいほこりやな……」

顔を背《そむ》けて咳《せ》きこんでいると、

「なんや、それ？」

背後で弟の声がした。振り返ると、三角巾《さんかくきん》で大昔のギャング映画のように口元を隠し、山のようなゴミ袋を抱《かか》えた金造《きんぞう》が立っている。

本日非番の弟は、バンドの練習に向かおうとしたところを、

『金造、お前も少しは手伝わんかい』

と父・八百造《やおぞう》に首根っこをつかまえられたらしい。最初こそぶーたれていたが、根が単純な彼は、今やすっかり大掃除にいそしんでいる。

昔はこの広大な寺に門下《もんか》の者たちが各々《おのおの》家族を伴《ともな》って寝起きしていたため、大掃除といえば門下総出、しかも数日がかりで行われるのがならわしだった。だが、今ではほとんどの家族が寺を出て独立している。当然、使われていない部屋も多い。

故《ゆえ》に、年に一度の大掃除は手の空《あ》いた者がやることになっている。

昨年は年末にかけてなんやかやと忙しかったため、延び延びになってしまい、四月になった今にしてようやく一年分の汚れを落としているわけだが……。

これが遅々《ちち》として進まない。

いつもならばキビキビとこの場を取り仕切っているであろう総領息子《そうりょうむすこ》が、今春から東京にある正十字《せいじゅうじ》学園に進学してしまったからだ。

代わりに仕切っている柔造は、どちらかといえば大雑把《おおざっぱ》な性格で、彼ほど几帳面《きちょうめん》ではな

いし、ましてや掃除が趣味でもない。

この分では晩までに終わらないかもしれないと、先ほどから蝮《まむし》がイライラしていた。

「見た目、菓子箱やな」

「菓子、入ってるのか？」

「もし菓子が入っとったら、十中八九、腐《くさ》っとるわ」

ゴミ袋を畳《たたみ》の上に放り出し、手元をのぞきこんでくる弟に、柔造が笑いながら答える。

金造は「ふーん」と兄の手から菓子箱を受け取り、しばらく考えていたが、何か思いついたのかニヤリとした。今年、二十一になる弟だがこういう表情をするとひどく幼く、やんちゃ坊主《ぼうず》のように見える。外見こそ大人《おとな》になったが、中身は一丁前《いっちょうまえ》に兄貴風吹かせて末の弟をいびっていた子供の頃のままだ。

「そやったら、まず廉造《れんぞう》に食わせたろ。平気やったら、俺らも食おうや。なあ、柔兄《にい》」

「コラ、弟を実験台にすな」

柔造が笑いながら叱《しか》る。それに、とつけ加えた。

「廉造はおらへんやろ」

彼らの末の弟である廉造も、この四月から晴れて正十字学園に通っている。

『志摩家の代表として……坊《ぼん》や子猫丸《こねこまる》を守れ』

そう命じられ、父からお下がりの錫杖《キリク》を与えられた末の弟は、今頃、どうしているだろうか。

（皆の足をひっぱっとらんとええけどな）

そんなことになったら、里帰りの際に父親に大目玉を喰《く》らうのは間違いない。

「おらへん？　どこ行ったんや、アイツ」

金造が眉間《みけん》にしわを寄せ、金髪の頭をひねらせる。

兄弟の中でも筋金《すじがね》入りのドアホで三歩歩くと忘れるトリ頭だが、それでいて複雑な詠唱《えいしょう》はしっかりと覚えている。根っからの『戦士の血』というヤツなのだろう。

「なに言うとんねん。廉造なら正十字学園に入学したやろ？　東京や、東京」

「あー……」

ようやく思い出したように金造が答える。そして、

「どうりで、最近、飛《と》び蹴《げ》りのキレが悪い思っとったわ」

「おまえ、弟をなんや思ってんねん」

柔造がさすがに呆《あき》れた顔になる。

それにしても、と開《あ》け放《はな》たれた障子《しょうじ》の向こうに広がる家庭菜園を見やった。燦々《さんさん》と太陽の日差しが降《ふ》り注《そそ》ぐ青い垣根の下には、まだ熟《じゅく》していないトマトや小さな胡瓜《きゅうり》がところせましと実《みの》っている。

まだ明陀宗《みょうだしゅう》が正十字騎士團《きしだん》に入っていなかった頃——赤貧《せきひん》だった時代の名残《なごり》だ。

『八百造！　きゅうりもろてくわ～』

『あっ、コラ、坊《ぼん》!!　八百造はそないなコソ泥《どろ》に育てた覚えはありません!!』

『ええやんか。ウチの寺、貧乏なんやさかい。おやつ代わりにあげとき』

熟《う》れた頃合いを見計《みはか》らってもぎ取っていく、小さなコソ泥三人組と、生真面目《きまじめ》にそれを叱《しか》る若い父の姿がそこに見えたような気がした。

柔造が両の眉尻《まゆじり》を下げる。

「なんや、坊《ぼん》も子猫も廉造もおらへんと、ここも静かやなぁ……」

柄《がら》にもなくしんみりとつぶやく。

かたや、そういった感傷とは一生無縁な弟は、ひん曲がった蓋を開けようと箱を上下逆《さか》さにしながら、振ったり叩《たた》いたりしている。そのたびに、ガサゴソと硬《かた》い音が鳴る。

「自分、ソレ、開けるんか？」

柔造が尋《たず》ねると、金造は当然というように、

「なんか、ええもんが入ってるかもしれへんやろ」

「ええもんって、なんや？」

「そりゃ、エロ本とか、へそくりとかやろ」

「ドアホ。そんなん入っとるわけないやろ。干《ひ》からびたカエルとか、セミのぬけがらが出てくるのがオチや」

そんなことをしゃべっていると、黒い僧衣《そうい》に割烹着《かっぽうぎ》をつけた蝮が、日干《ひぼ》ししていた座布《ざぶ》団《とん》を両腕《りょうわき》に抱《かか》えて座敷に入ってきた。二人を見るなり眉間にしわを寄せ、露骨《ろこつ》に嫌《いや》そうな顔をしてみせる。

同じ僧正《そうじょう》の家柄《いえがら》でも、柔造ら志摩家と蝮ら宝生《ほうじょう》家の仲の悪さは折り紙つきだ。

年が近いこともあり幼い頃は一緒に遊びもしたが、今では顔を合わせるたびにケンカしかしていない。いわゆる犬猿《けんえん》の仲だ。

「お申《さる》ども、何をサボっとるんや？　早《はよ》う、掃除するよし」

これだから志摩家の無能どもは、と蔑《さげす》んだ口調で言う蝮に、

「――なんやと、この宝生のヘビ女が」

ケンカっ早い金造が食ってかかる。「もう一度、言うてみ」「なんや、黄色いお申《さる》は、頭だけやのうて耳も悪いんか？　難儀やなぁ」「ああ!?」

元来、短気な弟だ。すでに箱から興味は失《う》せたらしい。その注意は目の前の蝮に移っている。

相手にするなと言ったところで聞く弟ではなく、止《や》めやと言って聞く幼馴染《おさななじみ》でもない。喧々囂々《けんけんごうごう》と言い争いを繰《く》り広《ひろ》げる二人を余所《よそ》に、柔造が畳の上に放り出された箱を拾い上げる。

試しに蓋を持ち上げてみると、簡単に開いた。パカッという音とともにカビ臭《くさ》いような古い香りが鼻をつく。

「これは…………」

アルミの箱の中に入っていたのは、電飾と脱脂綿《だつしめん》。それに、小さな靴下が三つ、それよりちょっと大きな靴下が一つ――。

数枚の画用紙は薄《うつ》らと黄ばんでいた。そこにクレヨンでそれぞれ、

『サンタさんねつれつかんげい』

『けーき、しゃんぱん、あります』

『ツリーもあります』

『ココのおてらです』

『おいでませ』


と書いてある。いかにも幼い子供が書いたものらしく、平仮名ばかりだ。『けーき、しゃんぱん、あります』と『おいでませ』の『ま』の字が左右逆の文字になっている。『ココのおてらです』の紙の端《はし》には小さなネコの絵が描いてあった。

それを見て、画用紙を持っていた柔造の頬《ほお》がゆるむ。

「そうか、あん時の――」

視線を画用紙から庭に向け、父親譲《ゆず》りの強面《こわもて》にやさしい笑《え》みを作る。


――それはコソ泥三人組がまだ幼稚園に通っていた頃の物語。

「ウチはなぁ、いちりゅうホテルからごちそうをとりよせるんやで」

「すごーい！」

「ええなぁ」

「マジかっけー!!」

園児たちが羨望《せんぼう》のまなざしで見つめるのは、父親が会社を幾《いく》つも経営しているという鳩《はと》山《やま》ミチヲ。顔や力はともあれ、金だけは（親が）うなるほど持っている。

「ツリーはがいこくせいや。と、く、ち、ゅ、う、やで、と、く、ち、ゅ、う。もちろん、ケーキもや。ふらんすがえりのパティシエがつくったヤツなんやで」

「スゲー!!　さすが、ミッチー」

「ミチヲくんのウチ、おかねもちやもんねぇ〜」

「ぱてぃしえってなんかすごそー！」

皆の反応に、ミチヲは子供らしくないおごり高ぶった顔で応じ、チラリとこちらに視線を寄越《よこ》してきた。低いだんごっ鼻をツンと持ち上げ、どうだ、と言わんばかりだ。

しかし、勝呂《すぐろ》竜士《りゅうじ》はそれを完全に無視し、幼馴染《おさななじみ》の志摩《しま》廉造《れんぞう》、三輪《みわ》子《こ》猫丸《ねこまる》とともに絵本を読んでいた。

そのしらけた態度がよほどカチンときたのだろう、ミチヲはずかずかとこちらにやって来ると、子猫丸がめくろうとした絵本を片足で踏んづけた。猫の挿《さ》し絵《え》に上履《うわば》きの跡《あと》がつく。「あっ……ねこが」と子猫丸が悲しそうに眉《まゆ》をひそめる。

それに、竜士が目を剝《む》く。

「なにすんねや」

園児にしては鋭いその眼光を受け、ミチヲはわずかにたじろいだが、

「おまえんとこはどうすんねん？」

「なにがや」

「クリスマスにきまっとるやろ」

これだから無知は困る、というような表情を作っておもむろに首を左右に振ってみせる。このミチヲという少年は常日《つねひ》頃《ごろ》から親が金持ちであることを鼻にかけ、他人を見下《みくだ》していた。とりわけ、貧乏寺の三人を目の敵《かたき》にしていたが、かけっこでもボール遊びでも、お

絵かきでも、腕《うで》っ節《ぶし》でも、女子からの人気でも何一つ竜士に勝てないため、子供ながらにひどく鬱屈《うっくつ》した感情を抱《いだ》いてるのか――ことあるごとに突っかかってくる。

大抵《たいてい》の場合、竜士は相手にしないようにしていたが、身内《みうち》を攻撃されれば話は別だ。

「クリスマスなんて、どうでもええ。こねこにあやまれや」

ミチヲのスモックの襟《えり》をつかもうとする竜士に、

「……坊《ぼん》、ぼくはべつにきにしてへんから」

と子猫丸が困ったように告《つ》げる。そのとなりで廉造も、

「そうやで、坊《ぼん》。ケンカなんてダサイことやめようや。じかんのむだやで」

といかにも彼らしく友を制する。

竜士が薄い唇《くちびる》をへの字に曲げ、手を下ろすと、ミチヲが明らかにほっとしたような顔になった。しかし、すぐに元の憎たらしい表情に戻ると、

「まあ、おまえんとこみたいなびんぼうでらが、クリスマスなんてできるわけねえよな」

「なんやと……」竜士のこめかみがピクリと動く。「もういっぺんいってみ」

「ツリーどころかケーキもかえへんやろ? あー、オレ、びんぼうなたたりでらなんかにうまれんでよかったァ」

せせら笑うように告げるミチヲに、周囲から遠慮がちなクスクス笑いがもれる。竜士の顔が真《ま》っ赤《か》になった。ミチヲが意地悪く告げる。

「おまえのとうちゃん、みんなのいえまわってかねをもらってるんやろ？　みじめやなぁ」

「!!」

「坊《ぼん》!」

「あかんて!!」

小さな猛獣のようにミチヲに飛びかかろうとする竜士の両腕に、とっさに子猫丸と廉造がしがみつく。遠巻きに見物していた園児たちが、竜士の迫力に蜘蛛《くも》の子を散らすようにわっと四散した。

二人に押さえつけられたまま、竜士が涙のにじんだ両目でミチヲをにらみつける。口からふーふーと荒い息がもれ、今にもその喉笛《のどぶえ》に喰《く》いつかんばかりだ。

「な、なんやっ……いいかえせへんからって、ぼうりょくふるうきか!?　このやばんじん!!」

明らかに非は自分にあるのに、ミチヲがさも被害者ぶる。「うらやましかったら、すなおにうらやましいっていいや!　この、びんぼうにんっ!!」

子供ならではの残酷な台詞《せりふ》に、竜士が真っ赤な顔で吼《ほ》える。
「バカにすな！　ウチかて、こんやはクリスマスパーティやんねん！　おまえんとこより
ずっとすごい、スペシャルなパーティやねんぞ!!　みとけや！」

✝

「……どないすんねん、坊《ぼん》」

両手でほっぺを覆《おお》い、地面にしゃがみこんだ格好《かっこう》で廉造《れんぞう》が問う。

寺の庭にある家庭菜園の片隅《かたすみ》で小さなおでこを寄せ合い、密談中である。大きな栗《くり》の木が三人の姿を隠してくれる上、年末の忙しさも手伝い、門徒《もんと》の面々に密談の内容を聞かれる心配はなかった。

学校帰りに幼稚園に迎えに来てくれた柔造《じゅうぞう》も、障子《しょうじ》の張り替えに精を出している。

いつもならば率先《そっせん》して古い障子を破りたがる三人がまとわりついてこないことに、少々

妙な顔をしてはいたが、元からあっけらかんとした男なので、うるさく尋《たず》ねてくることはなかった。

『今日は俺が炊事《すいじ》当番やさかい、あとでおやつ作ってあげますわ』

そう笑顔で言っていた。まず心配ないだろう。

「もう、ひるすぎやで？　よるまでになんとかできるん？」

「いま、かんがえとる」

竜士《りゅうじ》がムスッと答える。廉造はそんな竜士をじとーっとした目で見やり、

（あーあ、やってもうた）

という顔をしている。

このお調子者のくせに妙に冷《さ》めたところのある友は、売り言葉に買い言葉とはいえ、あんなことを口走った竜士を無言で非難しているのだ。

「しかも、『すぺしゃる』ってなに？　どんなんやったら『すぺしゃる』なん？」

「やかましわ！　だから、かんがえとんのやろ!?」

竜士が気まずさから顔を赤くしてわめく。

自分でも大見得《おおみえ》を切ったことはわかっている。一流ホテルの取り寄せディナーや外国製

の特注ツリー、フランス帰りのパティシエが作ったケーキに敵《かな》うスペシャルなパーティなど、想像もつかない。何より、明陀宗《みようだしゆう》がお金に困っていることは幼い彼にも充分わかっていた。だから、大人《おとな》たちに甘えることはできない。

自分たちだけの手で、どうにかしたい。

これは明陀の座主《ざす》の息子《むすこ》としての『誇《ほこ》り』の問題だ。後には引けない。

「そないなことゆうたかて、かんがえてどうにかなるもんでもないやろ。しかも、しゃしんとってこいゆうてたで？　ウソやったら、オレらもいっしょにさかだちでちょうないいっしゅうとか、ありえへんやろ。どないなばつやねん。――なあ、子猫《こねこ》さん」

廉造がもっともらしいことを言い、子猫丸《こねこまる》に同意を求める。

すると、今まで黙っていた子猫丸がぽつりとつぶやいた。

「……おっさまやみょうだのことあないなふうにいわれて、志摩《しま》さんはくやしゅうないん？」

「……え？　なんて？　子猫さん？？」

子猫丸の発言に廉造がきょとんとした顔になる。子猫丸は小さな顔を珍しく険《けわ》しくしている。膝《ひざ》の上で拳《こぶし》をぎゅっと握《にぎ》りしめる。

「みょうだのみんなで、スペシャルなクリスマスパーティをやったらええんやろ？　やろうやないか」

「子猫……」

竜士が感動したように子猫丸を見つめる。坊主頭《ぼうずあたま》の小柄《こがら》な少年は、照れたようにくしゃっと笑った。もとから穏《おだ》やかな作りの顔が、さらにやさしくなる。

「ぼくもかんがえるわ。『さんにんよればもんじゅのちえ』てゆうやろ？　いっしょにかんがえよ」

「おう！　そやな！」

明るい顔に戻った竜士が子猫丸にニッと笑いかけ、それから廉造の方をじろりと見た。子猫丸もそちらをじーっと見ている。二人の非難がましい視線を受け、

「あー……もー、わかったって、オレもかんがえるから、ふたりしてそないなめでみんといて！」

ついに廉造が折れる。どうやら腹をくくったようだ。しかし、吹きつける木枯《こが》らしにぶるりと震えて、

「なあ、坊《ぼん》。せめて、いえのなかでかんがえへん？　おこたはいろ」

ずずっと鼻水をすすり上げる。

「ダメや」竜士がにべもなく首を横に振る。「みんなにきかれてまうやろ?」

「ええやん、きかれたかて。なにがダメやねん」

廉造が唇《くちびる》を尖《とが》らせる。「おとなにたようなええだけやろ? きかれるだけならへいきやろ?」

それはそうなのだが、竜士の本心としてはできればサプライズ的なパーティにしたい。皆には伝えず、こっそり準備して、驚かす——そちらの方がよりスペシャルな感じがするのだ。驚く八百造《やおぞう》や蟒《うわばみ》、それに父親の顔を想像する。

なんとも言えず気分が高揚し、胸の奥がこそばゆくなってくる。

「ともかく、おれらだけでかんがえるんや。おとなにはないしょや。ええな!」

竜士がきっぱりと言い、極寒《ごっかん》の中での密談が続いた。

そこに、兄のお下がりの黒いランドセルを背負《せお》った金造《きんぞう》が、お経にロック調の節《ふし》をつけて歌いながら帰ってきた。

「げぇっ……金兄《にい》」

兄の声に廉造が鼻の頭にしわを寄せ、

「――……すごいにもつやな、金造《アイツ》」

木陰《こかげ》から見えたその姿に、竜士が呆《あき》れを通り越して感心したような声を上げる。

大方《おおかた》、担任教師の言うことを聞かず、数日にわけて計画的に荷物を持ち帰らなかったのだろう――パンパンに膨《ふく》らんだランドセルの端《はし》からリコーダーが飛び出し、両脇《りょうわき》のフックには体操着やら上履《うわば》きやら、給食袋やら、鍵盤《けんばん》ハーモニカやら、ありとあらゆる物が下げられ、右手には絵具ケースと習字ケース、左手にはすっかり朽《く》ち果《は》てカピカピになった朝顔の植木鉢《うえきばち》が抱《かか》えられている。極《きわ》めつけは首から下げた水泳バッグで、今の季節を考えるに、その惨状《さんじょう》たるや想像に難《かた》くない。

おそらく今夜中には、あの八百造すらも頭が上がらないという志摩母の怒鳴《どな》り声《ごえ》が寺中に響《ひび》きわたるはずだ。

「……バカや、バカがおる」

廉造が激しく嫌《いや》そうな顔でうめく。すると、弟の悪口が聞こえたのか、栗の木の後ろから金造がひょいと顔をのぞかせた。

「あ？　なんや、廉造。こんなとこで何してんねん？　腹でもイタいんか？」

その面立《おもだ》ちは兄弟だけあって弟の廉造とよく似ている。だが、廉造より髪が長く、ややキツイ目つきをした彼は、いかにもきかん気な少年といった感じで、実際、勝気がすぎてたぶんにケンカっぱやい。

嘘《うそ》か真《まこと》か、中学生を相手にしても負け知らずだという。

「アレ、坊《ぼん》もおらはったんですか」

廉造の奥に竜士の姿を見つけ、金造が言葉遣《ことばづか》いを改める。「なんや、子猫もおるんか。みんなで何しとんのです?」

「…………」

三人の間で、わずか零《れい》コンマ一秒の間に『おとなやないで』『そうだんしますか?』『いや、やめとこ』『そうですね』『アホやし』——という無言のアイコンタクトがなされる。

誰も答えずにいると、金造がはっとした顔になった。見る見る両目が吊《つ》り上《あ》がる。

「もしかして、誰かにいじめられたんですか?」

早合点《はやがてん》した金造が、どこのどいつや、と言って憤然《ふんぜん》と拳を握りしめる。

「坊《ぼん》とねこをいじめるヤツは、この金造サマがようしゃせんで!!」

「なんで、じつのおとうとだけはいってへんの!?」

あまりの理不尽《りふじん》さに廉造が思わずツッコミを入れる。

だが、金造は弟の非難などどこ吹く風で、勝手にいきり立っている。ガバッと廉造の肩をつかむと、

「ゴラッ、廉造ォ!! どこのどいつやねん!? 俺が今から行ってギッタギッタにしてやるさかい、さっさと教えろや!!」

「……うわぁ……ギッタギッタにしてやるとか、じっさいにゆうヒトはじめてみたわ、おれ……」

どこのジャイアンやねん、と廉造が露骨に顔をしかめ、

「金兄《にい》にはかんけいないやろ。はよ、いけや」

兄の背中をぐいぐいと押しやる。その上、まるで野良犬を追い立てるように、しっしっ、と言う。

だが、そんなことで大人しく引き下がるような金造ではない。弟の頭をぶん殴《なぐ》って黙らせると、

「ドアホ! カンケーないことあるかい!」

珍しく真顔《まがお》でそう言《い》い放《はな》った。

「坊《ぼん》とねこは俺の大切な弟や、家族や!!」

「だから、なんで、じつのおとうとがそこにはいってへんのや!!　アホか!!」

廉造がめげずに兄にツッコむ。

結局、そのまま立ち去ろうとしない金造に、竜士がことの次第《しだい》を話すことになった。

「――あんな、金造。じつは、ひるま、ようちえんのヤツとな……――」

金造は一丁前《いっちょうまえ》に腕組みし、ふむふむと聞いていたが、

「……なんや、そういうことやったんですか」

と、とりあえずは大人しくなった。だが――。

「よっしゃあ!　そういうことなら、この金造が一肌脱《ひとはだぬ》ぎますわ!!」

今度は俄然《がぜん》、張り切り出す。もともと、ムダに熱い性質《たち》なのだ。

「スペシャルなクリスマスパーティやと?　やってやろうやないか。そんで、そのミチルゆう生意気《なまいき》なガキをぎゃふんと言わせてやるんや!」

「ぎゃふんて……」廉造が小声でつぶやく。「じっさい、いてへんやろ……ぎゃふんとかゆうヤツ……しかもミチルやのうて、ミチヲや、ミチヲ。なにきいてんねん」

「ちょお、待っとってください。今、おとんに通知表、見せてきますさかい。三十分くらいで戻ってきますわ」

そう言って、金造が踵《きびす》を返す。

「さんじゅっぷん？」

「なんでなん？　金造さん」

竜士と子猫丸が小首を傾《かし》げると、振り返った金造が明るく笑った。

「大抵《たいてい》、おとんの説教にそれぐらいかかりますねん」

「…………」

「まあ、坊《ぼん》は大船《おおぶね》にでも乗ったつもりで、どーんとこの俺に任《まか》しといてください!!」

薄い胸を実際に叩《たた》いてみせた金造が、高らかにそう宣言する。

その際に、ランドセルの脇から飛び出していたリコーダーが落ちた。地面に置かれた朝顔の鉢にぶすりと突《つ》き刺《さ》さる。中で冬眠中だったらしいカエルが飛び出し、菜園の方へと逃げていった。

「あ……カエルや」

「…………」

金造はまだカラカラと笑っている。

不思議なもので、彼の表情が明るければ明るいほど、他三人の表情は暗くなっていく。

正直、一番、貸してほしくない知恵が向こうから来てしまった。

しかも、うっかり乗ってしまった舟はまごうことなき泥舟《どろぶね》だった——。

その無情な現実を、三人は幼いながらにひしひしと感じ取っていた。

✝

「スペシャルなクリスマスなら、やっぱりサンタクロースですわ！」

きっかり三十分しぼられて戻ってきた金造《きんぞう》は、まるで懲《こ》りていない様子で、明るく言《い》い放《はな》った。彼の人生にはバックギアなど存在しないのだ。まさに、前進あるのみ。

「本物のサンタクロースさえいてれば、ウチの勝ちや！　一流ホテルのごちそうだろうが、特注のケーキだろうが、どーんとこいですわ!!」

「そ、そりゃ、ほんものがおったらそうやけど……でも、どうやってよんでくんねん？」

竜士《りゅうじ》がずずっと鼻をすすりながら尋《たず》ねる。「そもそも、サンタクロースってどこにおるんや？」

すると、金造がふっふっふっと不気味に笑った。いかにも秘密を打ち明けるように言う。

「俺、すごいこと知っとるんです」

「──なんや？」

若干《じゃっかん》うさんくさく感じながらも、なんとなく身を乗り出してしまう三人。自分に向けられた三人分の耳の前で、金造がこそこそとささやく。

「サンタクロースのそりひいている動物、いてますやろ？」

「おう」

「あれ、鹿《しか》やないんです」

「…………」

三人の顔が凍《こお》りつく。わずかな期待すら、たちどころに消《き》え失《う》せた。しかし、金造はその冷たい空気に気づいていない。鼻高々に告《つ》げる。

「トナカイで、しかも『ルドルフ』ゆうんです」

「…………」

「なあ、すごいですやろ!? 誰も知りませんって、こないなこと!! 国家機密クラスですわ！」

「………金造、もうええわ。ありがとおな」

果てしなくムダな時間を過ごしてしまった。

竜士が他の二人を促《うなが》して立ち上がる。しかし、

「何言うとるんですか、坊《ぼん》。まだまだ、これからやないですか！」

金造に腕を引っ張られ、しぶしぶその場にしゃがみこんだ。

「ともかく、サンタクロースを召喚《しょうかん》するには、『ケーキ』『ツリー』『靴下』ゆう必須アイテムが必要なんです」

「しょうかん!?」と竜士。

「ひっすアイテムて……」と子猫丸《こねこまる》。

「てか、ルドルフかんけいないやん!!」廉造《れんぞう》が思わずというように叫ぶ。

金造はさも大人《おとな》ぶった様子で、まあまあ、というように両手を上下させ、弟たちをなだめた。

「この三つでサンタクロースさえ召喚できれば、俺らの勝ちですやん。それ以外にも、キラキラした飾りとか、シャンパンとか必要なもんはあるんですけど、皆で手分けして用意

しましょうや」

金造はそう言うと、

「靴下はそれぞれタンスから出してくるとして、ねこは『ケーキ』、坊《ぼん》と廉造は『ツリー』を頼んます。俺はキラキラした飾りを担当しますわ」

てきぱきと割りふり始めた。

「ケーキは、柔兄《じゅうにい》に頼めばなんとかしてくれますやろ。ツリーは裏の山でてきとうな木を持ってきて、飾りつければええですわ」

「お……おーっ」

その指示が意外とまともなことに驚きつつ、竜士が尋ねる。「でも、シャンパンはどうすんねん?」

てか、シャンパンってなんや、と続けると明るかった金造の顔が急に曇《くも》った。眉間《みけん》にしわを寄せ、いかにも苦渋《くじゅう》に満ちた顔で、

「それは、俺もよう知らんのです。パンの仲間やってことしか、今の段階ではわかってへんのですわ」

無念や、と金造が悔《くや》しげに告げる。知らず、他の三人の顔も曇る。

「でも、それはあんまりじゅうようやないんやろ？　さいごにゆうてたし――」

と告げる竜士に、金造が柄《がら》にもなく考えこむ。いえ、と言った。

「……そうゆうんに限って、実《じつ》は重要なレアアイテムやったりするもんなんですて」

もはや、完全にゲーム感覚だ。

「ほんなら、だれかにきいたらどないですか？」

子猫丸が提案する。

「でも……」

と竜士が渋《しぶ》い顔をする。それでは、内緒の計画が……。

すると、廉造が「おとなやなくて、こどもならええの？」と尋ねてきた。「え？　あ、ああ」と肯《うなず》くと、廉造の指が家庭菜園の脇《わき》にある物干《ものほ》しをさした。

そこには、洗い立てのシーツの陰《かげ》からこちらをうかがう宝生《ほうじょう》家の次女と三女の姿があった。いつからのぞいていたのか、全然気づかなかった。

「錦《にしき》、青《あお》――」

驚いた竜士がその名を呼ぶと、二人は一瞬、慌《あわ》てた。

だが、いまさら隠れられないと腹をくくったのか、居直り強盗よろしくいかにも気だるげに姿を現した。フリルのついたおそろいのワンピースに、可愛《かわい》らしい毛糸のポンチョ――こちらは色違い――を着ている。

「おサルどもがこんなところで、こそこそ何をしてんのや」

「また、いたずらの相談やろ。これだから志摩《しま》のおサルは」

妹の青が己《おのれ》の肩にかかった長いみつあみを手の甲で軽く払い、姉の錦が口元を利《き》き手《て》で隠す。

取《と》り澄《す》ました言い方や仕草《しぐさ》、蔑《さげす》んだ表情など、長姉の蝮《まむし》を真似《まね》しているのだろう。この二人は蝮を心底敬愛しきっている。ことあるごとに『姉《あね》さま』『姉さま』と、まるで親衛隊だ。

それゆえ、姉が毛嫌いする志摩家の息子たちを彼女たちも嫌っている。

いつもならば、なんやと、と瞬間湯沸《ゆわ》かし器のごとく怒り出す金造が、しかし、

「ちょうどよかったわ。錦、青。おまえらシャンパンって知っとるか?」

「はぁ?」

二人がいぶかしげな顔になる。だが、皆の視線が集まっていることに気づくと、

「……も、もちろんや」

「ウチら宝生のモンは、志摩のおサルと違《ちご》うて博識やからな」

と告げた。少しばかり慌てたような口振りで、語尾に不必要な力がこもっていた。

そんな二人に金造が偉そうに命じる。

「なら、どんなもんか言うてみいや」

「え……」

青と錦の二人が青ざめた顔を見合わせる。それから、こそこそと何事か相談し合った上で、

「パ、パンの一種や」

「そうや。パンの種類や」

と答える。

「ドアホ、そんなことはこっちもわかってんのや。ようは、何パンなんかが知りたいねん」

金造がバカにしたように鼻を鳴らす。よりによって金造《ドアホ》にドアホと言われ、カチンときたらしい二人が、再びこそこそと耳打ちし合う。そして、

「シャ……ジャムパンのことや。フ、フランス製の」

「アンタら、そんなことも知らんのかいな」

精一杯大人びた口調で言う。

「フランスせいのジャムパン？・？・？・」竜士が眉《まゆ》をひそめる。「フランスではジャムパンをシャンパンゆうんか？」

「そ、そうや」「常識や」

声が上《うわ》ずっている。視線も泳いでいる。竜士は子供ながらの直感で、なんとなく、二人の反応があやしい気がした。

しかし、金造は「そうやったんかーっ!!」と一人納得《なっとく》している。

それに安堵《あんど》したらしい錦と青が、これ以上、ツッコまれてはかなわないとばかりに、

「こんなアホらを相手にしてたら、こっちまでアホになってまうで」

「そうやな。はよ、行こ」

そんな捨《す》て台詞《ぜりふ》を残し、そそくさと逃げ去ってしまった。金造はその不自然さにはまるで気づかない様子で、

「ジャムパンなら簡単やな。パンにジャムをぬればオッケーや。これで、完璧《かんぺき》やな」

と悦《えつ》に入《い》っている。

「さあ、始めましょうや！　夕方までには戻ってきて、皆で飾りつけってことで、ええですか？」

「はい」

真面目《まじめ》に答える子猫丸と、

「へ〜い」

いかにもやる気なく答える廉造。当然、怒った金造に足蹴《あしげ》りを喰《く》らい、また兄弟ゲンカが勃発《ぼっぱつ》した。

（ホンマに、こんなんでだいじょうぶやろか……）

竜士の胸に一抹《いちまつ》の不安がよぎる。だが、ミチヲの憎たらしい顔を思い出し、ぶんぶんと頭を振る。自分だけならともかく、父や明陀《みょうだ》がバカにされたのだ。絶対にここで引き下がるわけにはいかない。

つかみ合う金造と廉造を引きはがし、

「ほな、あとでほんどうでな」

と強引《ごういん》にケンカを収める。

パーティは一番広い本堂でやろうということになっている。「たのむで。みんな」

「おう!! まかしとってください!!」

坊《ぼん》に頼られ、弟のことなど一瞬で忘れた金造が真っ先に駆け出して行く。子猫丸も「じゃあ、あとでな。坊《ぼん》、志摩さん」と言い、とたとたと台所へ向かう。

竜士もツリー用の木を取ってくるため、「金兄のアホ、ドアホ」と不貞腐《ふてくさ》れる廉造を引っ張って、裏木戸から寺の裏手にある山へと向かった。

そんな彼らの姿を室内から、こっそり見守っている大きな影があった。

たまたま、廊下を歩いていてそれを見かけた柔造《じゅうぞう》が、

「――? そないなところで、何しはってるんですか?」

そう声をかけると、その人物は唇《くちびる》の前に人差し指を当て、しいっ、という仕草《しぐさ》をしてみせた。頬《ほお》にやさしい笑《え》みが浮かんでいる。

そして、巨軀《きょく》を揺らしながらこそこそと立ち去っていく。その大きな子供のような後ろ姿に柔造が首を傾《かし》げる。

「どないしはったんやろ?」

しばらく、そうしていたが、

「そうや、こないなことしとらんと、はよ、障子紙《しょうじがみ》を買いに行かんと……夜になってまう」

用事の途中なのを思い出し、足早に玄関へ向かった。

たった今、自分を尋ねて子猫丸が台所に向かったとは、それこそ露《つゆ》ほどにも知らずに……。

✞

どうして、柔造《じゅうぞう》さんではなく蝮《まむし》さんがいるのだろう――?

子猫丸《こねこまる》は台所の入口で立《た》ち往生《おうじょう》していた。

寺の古い炊事場《すいじば》の流しで大量の野菜を洗っているのは、柔造ではなく蝮だった。黒い僧衣《そうい》に白い割烹着《かっぽうぎ》をつけ、頭には三角巾《さんかくきん》を被《かぶ》って、手際《てぎわ》よく野菜を洗い終え、ゴボウの皮を包丁《ほうちょう》の背でこそげ落としている。

(きょうのすいじとうばんは柔造さんや、ゆうてたんに……)

子供に甘い柔造が相手ならば『理由は聞かずにケーキを作ってほしい』という厄介《やっかい》な頼みも聞き入れてくれそうだが、蝮ではその可能性がガクンと減る。そんなことを言ったが最後、根掘り葉掘り聞かれるか、もしくは一蹴《いっしゅう》されて終わりだろう。

どちらにせよ、まともに取り合ってもらえないのは確かだ。

子猫丸がウロウロしていると、その気配に気づいた蝮が半分皮の残ったゴボウを持ったまま、こちらを振り返った。

「――なんや、ねこ。そないなところで何してはるんや？」

眉間《みけん》に気難《きむずか》しそうなしわを寄せる。それに、子猫丸が思わず半歩後退《あとずさ》る。

酷《ひど》い人ではないし、これでやさしいところもあるのだが、こうして面と向かうとムダに緊張してしまう。キツイ物言いと、女性にしては鋭い目つきのせいかもしれない。

「きょ、きょうのすいじとうばんは、柔造さんやて……」

子猫丸がごにょごにょ言うと、『柔造』の名に蝮がピクンと反応する。忌々《いまいま》しそうな顔で、あのバカ申《ざる》、と言った。

「いきなり障子張《しょうじは》りなんぞ始めよって、途中で障子紙が足《た》りのうなったんや」

それで、蝮に炊事当番を代わってもらったという次第《しだい》らしい。

「まったく、ええ迷惑や。これだから、志摩《しま》家のアホどもは……」

蝮がネチネチと嫌味《いやみ》を言う。確かに、柔造は年末の大掃除に先駆け、障子張りに精を出していた。

(柔造さん、しょうじがみをかいにいったんか)

子猫丸は自分の不運を呪《のろ》った。

蝮はひとしきり柔造や志摩家への文句を言い終えると、

「それで、アンタは何しに来よったんや。あのバカに用やったんか?」

「あ……そうやけど、そうやなくて……」

ケーキを作ってもらいに来た、という台詞《せりふ》を子猫丸が口の中で転がす。何か上手《うま》い口実はないかと考えるが、一休《いっきゅう》さんではあるまいにとっさには思いつかない。ゆえに、もじもじとしてしまう。

そんな子猫丸の様子をけったいなものでも見るように見ていた蝮が、壁にかかった時計を見、「ああ、もうそないな時間か――」とつぶやいた。

「え?」

子猫丸がきょとんとしていると、蝮は「ちょお、待ちなはれ」と言い、流しにゴボウと包丁を置くと、割烹着で手を拭《ふ》き、脇《わき》の戸棚《とだな》の中から大ぶりの皿を取り出した。
そこには黒々とした餡子《あんこ》がたっぷりついた北窓《きたまど》——いわゆる〝おはぎ〟が、八つのっている。

おやつだった。

「皆で仲よう食べるんやで」

「…………」

いつもならば大喜びしているだろう。普段、畑で採《と》れた野菜や煎餅《せんべい》、蒸《ふ》かした芋《いも》や栗《くり》などを食べている彼らにとって、たまに作ってもらえる甘いおはぎは大好物だった。

だが、今日に限ってはこの黒さがうらめしい。真っ白な生《なま》クリームに真《ま》っ赤《か》な苺《いちご》がのった華《はな》やかなクリスマスケーキとは、ほど遠い渋《しぶ》さだ。

「あんな……蝮さん……」

「なんや?」

勇気を出して呼びかける子猫丸に、まだ何かあるのか、とばかりに蝮が振り向く。その右手は引き続きゴボウの皮をこそごうと包丁を握りしめている。蝮の父である蟒《うわばみ》が精魂《せいこん》こめて研《と》いだ包丁は、なまじの刀よりもよく切れるという話だ。

しかも、間《ま》の悪いことに先日、和尚《おつさま》から山姥《やまんば》の宿に泊まってしまった旅人の話を聞いたばかりだった。

『旅人が寝静まるのを待って、闇《やみ》の中から、包丁を研ぐ音がシュッ、シュッ――と聞こえてくるんやでぇ……』

あの話を聞いた晩は、怖《こわ》くて怖くて、なかなか寝つけなかった。想像上の山姥と目の前の蝮が重《かさ》なる。

「言いたいことがあるならはっきり言うよし」

蝮のキツイまなざしと尖《とが》った包丁の先が同時に光る。子猫丸はひっと首を亀《かめ》の子のように縮《ちぢ》ませると、

「ほな、ぼくはこれで……」

と叫び、台所を飛び出した。

(……ダメやった)

言い出せなかった。肩を落とした子猫丸が本堂までの廊下をとぼとぼと歩く。

皿の上にでーんとのったおはぎは、手作りらしく形がいびつで大きさも不ぞろいだった。

餡子の下からもち米がはみ出ているものまである。

おはぎを春に『ぼたもち』、夏に『夜船《よふね》』、秋に『おはぎ』、冬に『北窓』と呼ぶのだと教えてくれたのは達磨《たつま》和尚《おしよう》だ。

牡丹《ぼたん》の季節に食べるから春は『牡丹餅《ぼたもち》』。萩《はぎ》の季節に食べるから秋は『お萩』。

夏と冬はともに言葉遊びで、普通のお餅のように杵《きぬ》と臼《うす》でつかず、米をすりこ木《ぎ》で潰《つぶ》して作る〝つき知らず〟をもじって、夜涼《よすず》みの船が闇《やみ》に紛《まぎ》れていつ着いたかわからないことから、夏は『夜船』の着き知らず。北の窓からは月が見えないことから、冬は『北窓』の月知らず――。

『おはぎが一番有名やけど、私は〝ぼたもち〟言うんが一番好きやな。なんや、他の呼び方に比《くら》べて甘そうやろ？』

そう言ってガハハと笑った和尚《おつさま》の赤ら顔を思い出す。説法でもなんでも、和尚《おつさま》は子供にもわかりやすい言葉で面白《おもしろ》おかしく教えてくれる。

子猫丸は、いつも明るくやさしい達磨が大好きだった。和尚《おつさま》が明陀《みようだ》の皆がいるから、両親がいなくても淋《さび》しくない。自分は一人じゃないと思える。子猫丸には明陀がすべてだ。

だからこそ、心ない悪口で明陀を侮辱《ぶじよく》したミチヲを赦《ゆる》せなかった。なんとしてでも、立派なクリスマスパーティをやって彼の鼻を明かしてやりたい。

子猫丸が神妙な顔で皿の上のおはぎを見つめる。限りなく理想とは違うそれを、それでもどうにかできぬものかと小さな頭をひねらせ、

「そうや……せめて、ロウソクをさしたらどうやろ？」

と思い立つ。

クリスマスケーキには、誕生日ケーキと同じく色とりどりのロウソクがささっているはずだ。ロウソクならば、寺だけあり大量にある。

子猫丸はいそいそと本堂に向かい、ロウソクを探した。引き出しの中に大量に入っていたそれは当然ながら仏具用だ。色は白。しかも、ムダにぶっとい。おはぎ一個につき一本が限度だった。

八つのロウソクをそれぞれ、おはぎの真ん中にさしていく。

やがて――出来上がったそれを見やり、

「…………………あかん」

子猫丸は頭を抱《かか》えてその場に虫のように丸くなった。

一気にものものしい様相《ようそう》になったおはぎの集団は、祝祭というよりは呪術《じゅじゅつ》に使われそうな禍々《まがまが》しい雰囲気を醸《かも》し出《だ》していた……。


「……きなんか、どこにもたおれてへんねん」

盛大なクシャミを一つし、廉造《れんぞう》がぶうたれる。「なあ、もうかえろうや。坊《ぼん》。カゼひいてまうで？」

「だまって、さがせや」

竜士《りゅうじ》がムスッと言う。廉造は木枯《こが》らしに身を縮《ちぢ》ませながら、恨《うら》めしげにあたりを見まわした。外気に赤く変色したほっぺをぷうっと膨《ふく》らませる。

「ツリーにできそうなおおきなきがつごうよくたおれてるとか、よくかんがえたらありえへんやん。だいたい、あの金兄《きんにい》のかんがえたことなんやで？　ドアホやで？」

確かに、廉造の言うことも一理ある。

かれこれ二時間近く山の中を歩きまわっているが、倒れている木など滅多《めった》にない。しかも、倒れているのはよほどの老樹ばかりで、とても子供が二人で抱《かか》えられるような大きさではない。それに大抵《たいてい》が腐《くさ》っている。ごくたまに小さな木も倒れているが、まだ子供の木が雨風で倒れてしまったものらしく、幹《みき》はか細く、竜士や廉造の背丈《せたけ》にも及《およ》ばない。

理想を言うなら、大人《おとな》くらいの背丈のある青々とした三角形のモミの木——もしくは、杉の木が好ましいのだが……。

背後では、相変《あいか》わらず廉造が「おなかへった」「さむい」「つかれた〜」と騒いでいる。確かに竜士も寒いし、疲れたし、空腹だった。日頃から鬼ごっこをして遊んだり、柔造《じゅうぞう》や八百造《やおぞう》について山菜やタケノコを採《と》りに来て馴染《なじ》んでいる山が、ひどくよそよそしく感じられた。知らない山のようだ。

(やっぱり、こどもだけでやるなんてムリなんやろうか……)

つい弱気になる。そして、慌《あわ》てて頭を振った。

今頃、子猫丸《こねこまる》や金造《きんぞう》も頑張っているのだ。こんなところで、言い出しっぺの自分が諦《あきら》めるわけにはいかない。

「なきごとゆうててもしゃあないやろ。こっちのほういってみるで」

そう言って、山の中をズンズン進んでいく。

坊《ぼん》の鬼《おに》ィ、と嘆《なげ》きつつも、廉造が半ベソでついてくる。文句は言うものの一人で先に帰ろうとはしない。

そのうち、あたりが赤々と染《そ》まり始めた。それにともない気温も下がってきている。秋の日はつるべ落としと言うが、冬の山の日などその比ではない。気づいた時には前も後ろもわからないほど真っ暗になっている。その恐ろしさを幼い頃からまわりの大人たちに言い聞かせられて育った竜士の心が、にわかに焦《あせ》り始める。

(はようかえらんと……)

自分だけでなく廉造まで巻きこんでしまう。

だが、まだ肝心《かんじん》の木が見つかっていない。

竜士がぎゅっと拳《こぶし》を握《にぎ》りしめる。――と、

「あ、坊《ぼん》、アレなんかどうや!?」

後ろの方から廉造の声がした。

「あったんか!?」

期待に目を輝かせ竜士が振り向く。友が指をさしている方を見やり、その顔が凍《こお》りつく。

そこには、確かに大人の背丈ほどの青々とした木が倒れていた。しかも、二人でどうにか運べそうな幹の太さだ。腐ってもいない。しかし……――。

「それ、かなりちがわんか……？」

それは、今にもかぐや姫が出てきそうな立派な竹の木だったのである。

✝

竜士《りゅうじ》が廉造《れんぞう》とともに運んできた竹を、こっそり本堂に持ちこむと、本尊《ほんぞん》の前に子猫丸《こねこまる》の姿があった。肩を落としている。その小さな背中があまりにも哀愁《あいしゅう》を誘うので、

「どうしたんや？　ねこ」

竜士が恐る恐る声をかける。

「……坊《ぼん》」

振り返った子猫丸の手の中にある皿を見やり、納得《なっとく》した。そこにのっているのはケーキではなく、真っ黒なおはぎだった。しかも、一本ずつローソクがささっているのが、どう

にも禍々《まがまが》しい。

子猫丸は子猫丸で、竜士たちが運んできた竹の木を見、大方《おおかた》の事情を察したようだ。なんともいえない顔をしている。

「これしかなかったんや」竜士が幼い肩をすくめてみせる。

「ぼくも、すいじとうばんが柔造《じゅうぞう》さんやなくて、蝮《まむし》さんやったんです」子猫丸が淋《さび》しげに告《つ》げる。「むねんです」

「さむいわ〜、おこたはいりたい」北風で頬《ほお》を真《ま》っ赤《か》に腫《は》らした廉造が、ずずずっと鼻水をすする。「なあ、もうええやろ？　ついでにおみかんでもたべようや」

「金造《きんぞう》がまだやろ」

竜士がすげなく首を横に振る。そんなぁ、と情《なさ》けない声でうめく廉造の背後で障子《しょうじ》がガラッと開《あ》いた。

「帰ったで〜」

金造が入ってくる。その痩《や》せた肩には、大きなズダ袋が担《かつ》がれている。まるで自身がサンタクロースのようだ。

すでにそろっている三人を見、

「なんや、俺がどんけつか」

とひとりごちる。

「金造、そのふくろはなんや？」

竜士の問いに金造がふっふっふっと笑う。

「何やと思います？」

「しらんからきいとるのやろ。アホか」廉造が脇《わき》から余計な口を挟《はさ》む。だが、金造は弟の憎まれ口が耳に入っていないかのように、

「まあ、見たってください」

誇《ほこ》らしげにズダ袋をひっくり返した。こすれ合う金属音とともに、中から大量の電飾が飛び出してきた。

その中の一つを金造が壁のコンセントにつなげる。色とりどりの光を放《はな》つそれに三人が「おおーっ」と歓声《かんせい》をもらす。しかし——彼はこんなものをどこで手に入れたのだろうか。

「これ、どうしたんや？」竜士がためらいがちに尋《たず》ねる。「まさか、ひろったんやないやろ？ こうたんか？」

「デコトラ乗ってる兄《あん》ちゃんたちから、もらってきたんですわ」

金造があっけらかんと答える。「前に中学生のヤツらとケンカしてるとこ見られてもうて、それから仲ようなったんです」

おそらく、相通《あいつう》じるものがあったのだろう。

よくよく見ると、電飾はクリスマス用の淡《あわ》い光ではなく、いかにもトラック用のギラギラとした光だ。まばゆい光と言うよりは、まぶしすぎる光だ。

ズダ袋の中には電飾で出来た看板まであり、赤と金の光で『爆走！　トラック野郎』と書かれてあった。もう一方の看板にはボンキュッボンのバニーガールがウインクしている。

「雪もあんねん」

金造がズダ袋の奥から脱脂綿《だつしめん》の塊《かたまり》を取り出す。なぜか、真っ赤な血がついている。純白の雪に血痕《けつこん》——……。

廉造がまず先に「こわいわ！」と叫んだ。他の二人もわずかにたじろいでいる。

「なんで、ちがついとんねん!?　ホラーかいな！」

「帰り際《ぎわ》に、四中《よんちゆう》のヤツらに『祟《たた》り寺《でら》』とかなんとか、ケンカふっかけられてな、ちょっと血ィ出たから使《つこ》うたんや」

確かに金造の顔や膝小僧《ひざこぞう》には擦《す》り傷《きず》がある。鼻の下にうっすらと血の痕《あと》があった。しかもはなぢかい、と廉造がツッコむ。

「てか、つかうなや!! ゆきやないんか!? ちぃついとるやん! どないすんねん!?」

「安心せい。向こうは、俺の十倍はヒドイ状態にしてやったさかい」

「そないなはなし、してないやろ! なに!? うちゅうじん!?」

まるで話が通じない金造に廉造が、もう、いやや、と匙《さじ》を投げる。園児の弟に匙を投げられてなお、金造の勢いは止まらない。

「しかもな、反省したソイツらから、ジャムパンまでせしめたんやで。スゴイやろ」

「しかも、カツアゲまで!?」

「なんと、フランスのジャムパンや」

弟の非難をあっさり聞き流し、ジャンパーのポケットからビニール袋を取り出す。

普通のジャムパンの袋に、あきらかに油性マジックで『フランス生』と書いてある。悔《くや》しまぎれに書《か》き殴《なぐ》ったようなその文字に、

(…………)

何かが違う、と誰もが思ったが、口には出さなかった。

何とも言えぬ気まずい沈黙が漂う。しかし、金造の中に空気を読んで発言を自重《じちょう》するな

どという高等な技術は存在しない。

「ほんで、ケーキとツリーの方は、どうです？　用意、できましたか？」

明るい声で尋ねる彼に、三人が無言で顔を見合わせる。そして、竜士が「……これや」と視線を足下《あしもと》に向ける。

竹のツリーとローソクのぶっささったおはぎケーキを見た金造の感想は、

「ええですやん！」

それに、三人が「ええっ」という顔になる。

金造は満足そうに、うんうん、と肯《うなず》いている。

「あとは、ツリーを飾りつけて、本堂の四隅《よすみ》に釘《くぎ》で靴下を打ちつけるだけですやん」

「……ほんまか？　ほんまに、これでサンタクロースがくるんか？」

皆の気持ちを代表するように竜士が尋ねる。

「もちろんですわ！」

と金造が請《う》け合《あ》う。「これだけそろっとったら、サンタクロースかて、来ずにはおられへんですやろ。ソリなんて言うとらんと、裸足《はだし》で飛んできますで!!」

「金造……」

いま一つというか三つほど信用できないが、力強い声が頼もしい。

竜士が眉間《みけん》に寄せていたしわを解《と》く。

「そうや、おてらのそとのかべにはりがみしといたら、どうやろ？　サンタさん、わかりやすいんやないですか？」

子猫丸が提案した。それに、皆が目を輝かせる。

「ええな、それ！」

「ほな、がようしとクレヨン、とってきますわ」

「いそがしゅうなってきたで!!」

金造が腕まくりをする。再び活力を取り戻した三人がそれに続き、本堂とツリーの飾りつけに乗り出す。

✞

奥の台所からは、けんちん汁の甘辛《あまから》い醤油《しょうゆ》の匂《にお》いが漂っていた。

「あかん。だいぶ、遅うなってもうたわ……」

マフラーに口から下を埋《うず》めながら、柔造《じゅうぞう》が寺までの道を急ぐ。

すでに暗くなり始めた帰り道は、昼間よりさらに気温が低く、吹きつける夜風に柔造が精悍《せいかん》な身体《からだ》を小さく震わせる。

本来はおやつ時《どき》ぐらいまでには戻るはずだった。しかし、商店街でいろいろな人間に捕《つか》まり、その都度《つど》、あれこれ話しかけられるため、予定より大幅に遅れてしまったのだ。

せっかく、子供たちを喜ばせようとおはぎを作ったというのに——。

「蝮《まむし》のヤツ、ちゃんと坊《ぼん》らにおはぎやってくれたんかいな」

頼んだ時には、いかにも迷惑そうに肯《うなず》いていたが……。

自然と小走りになる。

木枯《こが》らしに息を白くしながら、ようやく寺の前に着くと、入口の脇《わき》の塀《へい》に何かが貼《は》ってある。Ａ４サイズの紙だ。

また中傷《ちゅうしょう》の類《たぐ》いだろうか、と柔造が眉《まゆ》をひそめる。

『青い夜』で多くの死者を出した明陀宗《みょうだしゅう》は『祟《たた》り寺《でら》』などと呼ばれ、五年経《た》った今でもいわれのない誹謗《ひぼう》中傷を受けていた。最近では檀家《だんか》の数も減《へ》る一方だ。門徒《もんと》の中には、将来を悲観し寺を去る者も少なくない。

このままでは遠からぬ未来、明陀宗が瓦解《がかい》してしまうと、父と蟒《うわばみ》が難しい顔で話し合う姿を何度も見かけた。正直、金繰《かねぐ》りの方も上手《うま》くいってないらしい。

一日中、金策に走りまわりながら、皆に心配をかけぬよう屈託《くったく》なく笑う和尚《おしょう》を見るのが何よりも辛《つら》い。

どうにかしたいと思う心ばかりが日に日に肥大《ひだい》化していって、息が吐《つ》けなくなることがある。だが、柔造とてまだ未成年だ。明陀のために何かしたいと思えば思うほど、何もできない己《おのれ》が歯痒《はがゆ》くてならない。

「くだらんことしおって」

舌打ちした柔造が、ビラを剝《は》がそうと指を伸ばす。――と、その手が止まった。

それは明陀宗への中傷などではなかった。お絵かき用の画用紙に、お世辞にもキレイとは言《い》い難《がた》い字で、

『おいでませ』

と書いてある。『ま』が、左右逆の文字になっている。明らかに子供の書いた字だ。しかも、柔造はそのミミズののたうったような文字に見覚えがあった。

彼の末の弟の字だ。

「なんや、これ……?」

なんかの遊びかいな、といぶかしみつつ、他の紙を見やる。そこには、

『サンタさんねつれつかんげい』

『けーき、しゃんぱん、あります』

『ツリーもあります』

『ココのおてらです』

と書かれている。『サンタさんねつれつかんげい』は恐ろしく汚い字で、画用紙からはみ出さんばかりに大きく、『ツリーもあります』は大人《おとな》のように几帳面《きちようめん》な字で、『ココのおてらです』は丸っこく可愛《かわい》らしい字で書かれていた。

子煩悩《こぼんのう》ならぬ弟煩悩な柔造には、どれを誰が書いたかすぐにわかる。

「そうか……今日は、クリスマスやったんか……」

忙しさにかまけ、すっかり忘れていた。「アイツら、妙に静かやと思ったら、こないなことしてたんか……」

柔造がまぶしいものでも見た時のように両目を細める。

すると、寺の奥から、

「このバカもん!!」

と雷が落ちる声が聞こえた。

本堂の方だ。柔造が慌《あわ》ててそちらに向かう。果たして、変わり果てた本堂と、こめかみに青筋《あおすじ》を立てて怒る父・八百造《やおぞう》の姿があった。その前で、四人がうちひしがれている。離れたところに宝生《ほうじよう》三姉妹の姿もあった。

「神聖な本堂をなんと考えとるんや!!」

いつもであれば、すぐに「まあ、まあ」と間に入る柔造だが、本堂の有様《ありさま》に唖然《あぜん》とし、それどころではなかった。

電飾や看板に彩《いろど》られた部屋は目に痛いほどで、御本尊《ごほんぞん》の前にそなえられた皿には柔造の作ったおはぎが——なぜか、仏具用のローソクを突きさされた奇妙な格好《かっこう》で並べられている。その脇に『フランス生』とマジックで書かれたジャムパンが置かれていた。

本堂の真ん中には大きな植木鉢《うえきばち》にささった立派な竹があり、電飾と脱脂綿《だっしめん》が盛大に飾りつけられていた。しかも、脱脂綿にはところどころ血がついている。

四隅《よすみ》の柱に呪詛《じゆそ》のように五寸釘《ごすんくぎ》で打ちつけられた小さな靴下は、どういうわけか松の葉といわしの頭の飾りつきだ。いわしの頭は生《なま》でこそないが、たとえ干物《ひもの》といえど鼻につんとくるような異臭《いしゅう》を放《はな》っている。

どこでどう間違ってしまったのか——。

きっと幼いなりに必死に用意しようとした結果なのだろう。柔造の胸に笑いとともに、あたたかいものがこみ上げてくる。柔造は笑いを堪《こら》え、口元を手の甲で覆《おお》った。

なおも激怒《げきど》する八百造に、「まあ、まあ——」と蟒《うわばみ》が仲裁《ちゅうさい》に入る。

「悪気があってやったことやないですし」

「甘いこと言うとったらあかん！　これは、しつけや!!」

八百造がギロッと四人を見やる。幼い三人が泣きそうになる。それを見た金造《きんぞう》が、

「おとん、坊《ぼん》とねこを怒らんといてや。俺が指示したんやっ！」

敢然《かんぜん》と告《つ》げる。そして、両手を広げ弟たちを守るように一歩前に出た。「坊《ぼん》とねこはなんも悪くないんや!!　ゆるしたってや！」

「だから、なんでじつのおとうとだけはいってへんの!?」廉造《れんぞう》がわめく。

「ほう。弟を庇《かば》うなんて、金造も大人になったやないか」

柔造が思わず感心したようにつぶやくと、

「柔兄《にい》までなにゆうてんの!?　おとうとはかばってへんやろ！　ヒドイわ!!」

そう叫んで、地団駄《じだんだ》を踏んだ。そして、

「アホ、金兄のドアホ、うんこたれ!!」

「なんやと！　誰がうんこたれや!!」

あわや兄弟ゲンカになりかける。

「黙らんかい!!」

八百造の一喝《いっかつ》がそれを制した。そして、

「大体、柔造、お前がついとってどういうことや!?」

「――すまん。おとん」

柔造が大人しく頭を下げる。実際問題、今まで外に出ていた彼に竜士《りゅうじ》らの行動を知る術《すべ》はない。だが、こういう時、下手《へた》な言《い》い訳《わけ》をせず男らしく頭を下げるよう、柔造は育てられてきた。

深々と頭を下げる柔造の姿に、竜士がたまりかねたように、ちがうんや、と叫んだ。

「おれがゆいだしたんや！　ようちえんのヤツにウチのてらのことバカにされて……だから、みんなはなんもわるくないんや!!　おこるんなら、おれひとりをおこってや！　八百造!!」

「坊《ぼん》……」

「竜士さま……」

顔を真《ま》っ赤《か》にして涙目《なみだめ》で訴《うった》える竜士に、堂内が水を打ったように静まり返る。

――そこに、

「めりぃくりすます」

場違いなほど陽気な声が響《ひび》いた。

「!?」

誰もがぎょっとして声の方を振り向く。

そこには、明陀宗の座主《ざす》・勝呂《すぐろ》達磨《たつま》が赤ら顔で微笑《ほほえ》んでいた。

その大きな体をややきつそうな赤と白の衣装で包み、禿頭《とくとう》にやはり赤と白の三角帽を被《かぶ》っている。顎《あご》にパーティ用の白い髭《ひげ》をつけ、肩から大きな白い袋を担《かつ》いだその姿は、どう見てもサンタクロースだった。

「お、和尚《おっさま》……その格好は……」呆然《ぼうぜん》とした八百造が尋《たず》ねる。

「ガハハ。さんたくろーすや。似合《にお》うとるやろ?」達磨が明るく笑う。

「そういうことを聞いとるんやありません。仮にも明陀宗の座主が、そのように率先《そっせん》して異教徒の祭りを――」

生真面目《きまじめ》に言う八百造を、やさしい眼差《まなざ》しで制した達磨が、

「仏の教えいうんはな、そないちっぽけなものやあらへんよ」

となだめる。「子供らが一生懸命に頑張ったんや。今日くらい無礼講《ぶれいこう》でかまへんやろ。仏さまかてきっと赦《ゆる》してくれる」

そう言い、廊下に向け「ええで、虎子《とらこ》」と呼びかける。

その声に応じるように「はぁい」と高い声が上がり、達磨の妻であり、旅館『とらや』の女将《おかみ》でもある虎子が従業員を従え入ってきた。その手には、大皿に盛りつけられたローストチキンやらサンドイッチやら、お鮨《すし》やら、焼そばやら、ごちそうの数々が――。

それを見た廉造と金造の兄弟が、ケンカ中なのも忘れ「おーっ!!」と仲良く歓喜《かんき》の声を上げる。

虎子が呆然としている柔造、宝生姉妹を見やり、

「悪いけどなぁ、門徒のみんな、呼んできてんか?」

と明るい声で頼みごとをする。達磨がハハハと笑って、言《い》い添《そ》える。

「これから、明陀宗と『とらや』の皆でくりすますぱーてぃや」

「ホンマか……?　おとん」

竜士が涙の残った両目を瞬《しばた》かせる。達磨が息子《むすこ》に向けてにっこりと肯く。「ああ、ホンマや」

「和尚《おつさま》っ！　女将さんまで……!!」

なおも抵抗を試みる八百造の肩に蟒《うわばみ》の手がポンとのる。そして、苦笑した顔を無言で左右に振ってみせた。

「あきらめえ。八百造」

同胞《どうほう》の言葉に八百造がとびきり渋《しぶ》い顔になる。むむむ、と低い声でうめいた。

虎子が用意したクリスマスのごちそうに、蝮の作った晩ご飯用のけんちん汁と雑穀米《ざっこくまい》で作ったおにぎりも加えられ、会場はますますカオスな状態と化したが、いざ宴《うたげ》が始まってしまえば、最初は動揺していた門徒たちも陽気な笑顔で楽しんでいる。（ただし、異臭を発していたいわしの頭だけは、即座に撤去《てっきょ》された。未《いま》だに少し、本堂内が魚臭《くさ》い）

最後まで難色を示した八百造も、般若湯《はんにゃとう》と称したお酒を蟒《うわばみ》らと酌《く》み交《か》わし、

「――まあ、こういうんもたまにはええかもしれんな」

と珍しく眉間《みけん》の縦《たて》じわを解《と》いた。

しかし、調子に乗った金造が「おとん、俺にも一杯」と飲酒をせがむやいなや、カッと両目を見開き、四男に強烈な拳固《げんこ》を喰《く》らわせていた。「ドアホ！　十年……いや百年早いわ!!」

まあまあ、ととりなす蟒《うわばみ》の後ろでは、錦《にしき》と青《あお》が長姉にこっそり「なあ。姉《あね》さま、姉さま」「シャンパンって、なんや？」と尋ねている。

御本尊の前では、廉造が焼そばやらローストチキンやらサンドイッチやらをリスのように頬袋《ほおぶくろ》に詰《つ》めこんだ結果、青黒くなって悶《もだ》えていた。その背中を子猫丸《こねこまる》が苦笑《にがわら》い気味にさすってやっている。

「あー、もう、ゆっくりたべなあかんよ？　志摩《しま》さん」

「そないゆーたかて……いまたべんと……こんなごちそう、つぎにいつたべれるかわからへんやん……ぐえぇ……」

竜士と達磨の父子はその側《そば》に並んで座っていた。

達磨はサンタクロースの衣装のまま、般若湯の入った杯《さかずき》を傾けては、皆の楽しげな様子をうれしげに眺《なが》めている。見ているこっちがほっこりとするようにやさしい笑顔だった。

柔造が皆の合間を縫《ぬ》って近づいていくと、

「おとん……ありがとぉな」

竜士がぼそりと言うのが聞こえた。その真摯《しんし》さに、柔造がふと歩《あゆ》みを止める。

「聞いたで。幼稚園でケンカしたんやってな。どないしたんや？」

叱《しか》るでもたしなめるでもなく、あくまで穏《おだ》やかに尋ねる父親に、

「おれ……クリスマスのひとつもやれんようなびんぼうでらやなんて、だれにもゆわれとうなかったんや」

両膝《りょうひざ》をぎゅっと握りしめた格好で竜士が答える。そうか、と応じる達磨の目がまぶしいものでも見るかのように細まる。そして、

「――明陀が、好きか？　竜士」

「あたりまえや！」

穏やかな問いに、竜士が即答する。一瞬のてらいも迷いもそこにはなかった。「ここはおとんや、志摩や子猫丸や――みんながおるんや」

その真《ま》っ直《す》ぐすぎる答えに、達磨が小さな声で、

「――……ありがとぉ言わなあかんのは、私の方やな」

そうささやくと、息子の頭をくしゃりと撫《な》でた。竜士が照れくさそうに微笑《ほほえ》む。

続いて、子猫丸と廉造の頭も同じように撫でる。子猫丸がそれこそ猫の仔《こ》のように目を細め、喉《のど》に食べ物を詰まらせた廉造は相変《あいか》わらず青い顔でうなっている。

「私も明陀も幸せ者《もん》やな」

そう言って笑った達磨和尚《おしょう》の顔はたとえようもなくやさしく、あたたかくて、なぜか、泣いているようにも見えた……。

✝

あれから、明陀宗《みょうだしゅう》はだいぶ変わった。

まず、資金難から正十字騎士團《せいじゅうじきしだん》に与《くみ》することになった。邪教《じゃきょう》への身売りと悪《あ》しざまに罵《ののし》る者もいる中、僧正《そうじょう》の八百造《やおぞう》以下、門徒《もんと》は皆、祓魔師《エクソシスト》となった。

――しかしながら、座主《ざす》である達磨《たつま》和尚《おしょう》自身は騎士團には属さず、最近では旅館《いえ》にも寄りつかない。

竜士《りゅうじ》が東京の正十字学園に入学すると決めた際、それで派手な親子ゲンカになったと廉《れん》造《ぞう》から聞いている。

門徒の中にも、達磨を陰《かげ》で『臆病者《おくびょうもの》』『生臭坊主《なまぐさぼうず》』と呼ぶ者はいる。大事な〝本尊《ほんぞん》〟を余所《よそ》へやってしまった裏切り者だ、と。

だが、柔造《じゅうぞう》は信じている。達磨を、そして明陀を——。

信じると、そう決めた。

幼い竜士が明陀は好きかという問いに、あたりまえや、と答えたように、柔造にとって明陀は己《おのれ》のすべてだった。ならばそれだけでいい。信じ続ければいい。

「ええ、天気やな……」

開《あ》け放《はな》たれた障子《しょうじ》の奥から、春特有の淡《あわ》くあたたかい日差しがさしこんでいる。庭の隅《すみ》でこそこそと密談していた幼子《おさなご》らは、祓魔師《エクソシスト》を目指《めざ》し東京の高校に通うほど大きくなった。廉造はまだまだ危なっかしいが、竜士の心構《こころがま》えは並々ならぬものがある。子猫丸《こねこまる》もよくそれを支えている。

いずれ、三人そろって立派な祓魔師《エクソシスト》になって戻ってくるだろう。

柔造はわずかに歪《ゆが》んだアルミの箱の蓋《ふた》をしっかりと閉じ、元あった場所へ戻しておいた。

――かつて、これをしまった人物がそうしたように。めまぐるしく流れゆく時の中で、決して色褪《いろあ》せることがない思い出を閉じこめる。

「久々に、障子の張り替えでもしよるか」

軽く伸びをしながら、柔造が誰に向けるともなくつぶやく。

そして、その場に立ち上がると、まだ飽《あ》きずに言い合いをしている弟と幼馴染《おさななじみ》にため息まじりの苦笑《にがわら》いを浮かべ、

「二人とも、ええかげんにせんか」

と間に割って入った。

地の王より愛をこめて

その悪魔は、そこいらに転がっているようなただの悪魔ではありません。

悪魔の王様です。

虚無界《ゲヘナ》の権力者たる八候王《バール》の一角を担《にな》う〝地《ち》の王《おう》〟ですから、彼《か》の地では多くの悪魔に畏《おそ》れられ、傅《かしず》かれています。

ですが、さらに偉い〝兄上〟には頭が上がりません。

もっとも穏《おだ》やかとはほど遠い性格なので、たまに兄上に反抗したり、その挙句《あげく》、全力で顔面をぶん殴《なぐ》ったりと、たぶんに家庭崩壊《ほうかい》チックなこともしますが基本的には従順です。

今も、兄上の命令で、ペットの鬼《ゴブリン》とともに正十字《せいじゅうじ》学園に身を寄せているところです。

〝奥村燐《おくむらりん》〟の力を引き出すという重大な任務を与えられているのですが、イマイチ乗り気がしないので、もっぱら兄上からわたされた〝無限の鍵《かぎ》〟を使って、日本の観光地を転々としています。

好きなものは、バクダン焼き、甘いお菓子、それから楽しい戦闘《お遊戯》。

嫌いなものは、退屈——。

†

「——ただいま戻りました。兄上」

地の王が兄上の部屋に戻った時、兄上はお留守でした。

ちなみに、兄上にソイツは置いていけと言われしぶしぶ残していったペットの鬼《ゴブリン》はお昼寝中でした。ご主人様の帰還《きかん》だというのに、ダラダラと涎《よだれ》を垂《た》らしながら惰眠《だみん》をむさぼっています。

せっかく、京都《きょうと》のお土産《みやげ》を買ってきたのに残念です。〝とらや〟という旅館の従業員らしき黒髪と金髪から教えてもらった名産品・生苺《なまいちご》八《や》つ橋《はし》がムダになってしまいます。

それにしても、あの従業員は厄介《やっかい》でした。

『なんや、坊主《ぼうず》、一人旅行なんて大人《おとな》やないか。うちのアホ弟なんて、坊主と同じぐらいなんに、いっつも三人でつるんどんで。いやあ、たいしたもんや。気に入ったで！　その格好《かっこう》もなんやロック魂《だましい》を感じよるし。よっしゃ、俺の舎弟《しゃてい》にしたるわ!!』

『確かに、一人旅ゆうんは男を一回りも二回りも大きくさせるで。なあ、坊主、山登りに興味あるか？　興味あるんやったら、兄ちゃんがロッククライミングに連れてったるで？』

末の弟と同じ年ぐらい——というわけのわからない理由で、始終《しじゅう》要らぬお節介《せっかい》を焼いてくるものですから、もう少しで兄上との三つのお約束『こわすな・ころすな・ちらかすな』を破ってしまうところでした。

「危ないところでした……まさか、お気に入りのアニメを観《み》ている時の兄上と同じくらいうるさい人間に遭遇《そうぐう》しようとは」

と地の王がまったくの無表情で独《ひと》り言《ごと》を言っていると、ようやく鬼《ゴブリン》が目を覚ましました。

己《おのれ》の主人を見つけると、全力で飛びついてきます。

ご主人様——……にではなく、その手に下げられている生苺八つ橋に。

人の十倍はある口を広げ、疣《いぼ》だらけの大きな舌で箱ごとペロリと飲みこんでしまいます。

「あー、兄上の分もあったのに」

やはり無表情に地の王が苦言《くげん》を呈《てい》します。己のペットの躾《しつけ》もできないとあっては、兄上に合わせる顔がありませんから。「仕方ないなあ。半分、返してもらいますよ?」鬼《ゴブリン》の口をこじ開けて胃《い》の腑《ふ》から消化前の箱を取り出そうとしますが、鬼《ゴブリン》も一度腹に入れたものをそうやすやすと手放してなるものかと、固く口を閉ざして逃げまわります。

その頃になると、飽《あ》きっぽい地の王にとって、お土産のことも兄上のことも針の先ほどにもどうでもよくなっていました。

「わーい、鬼ごっこですね。それなら、こうやるんですよぉー。『鬼さんこちら　手の鳴る方へ♪』」

地の王は真顔《まがお》で歌い上げると、鬼《ゴブリン》の眼前にまわりこみ、軽～くデコピンします。いかんせん、彼は日本《ニッポン》に来たばかりだったので、遊び方がいろいろ間違っています。しかも、彼の軽いデコピンはミサイル並みの威力《いりょく》があるので、哀《あわ》れなペットは胃液を吐《は》き出してすっ飛んでいきました。

キングサイズの鬼《ゴブリン》が本棚《ほんだな》に激突して床に落ちると、その身を本の雪崩《なだれ》が襲《おそ》います。鬼《ゴブリン》の身体《からだ》は、アニメ関係の分厚《ぶあつ》い本と愛蔵版の漫画、哲学書など重量のある書物の下に一瞬で埋まってしまいました。

しかし、それで伸びてしまうようなヘナチョコでは地の王のペットは務《つと》まりません。主《あるじ》がかまってくれたとばかりに、毒々しい色の歯肉《しにく》を剝《む》き出《だ》しに嬉々《きき》として立ち向かってきます。

「あはは。そうこなくては♪」


そして、五分後――。

気づいた時にはすでに遅く、兄上の部屋はぐちゃぐちゃになっていました。建物自体が崩壊《ほうかい》しなかっただけよしとしても、兄上お気に入りの『魔女っ子フィギュア』の首がもげてしまったのには、さすがの地の王も弱りました。――といっても、ポーカーフェイスが常《つね》なだけに、表情に主《おも》だった変化はありませんが。

「うーん、どうしましょうか。このままでは、兄上に殺されてしまいます」

実《じつ》は、つい一週間ほど前にもお遊びに夢中になって、兄上の『うさ吉《きち》くんぬいぐるみ』

の額《ひたい》の部分を擦《こす》ってしまったのです。地の王からすれば、そこはもともと毛のない部分なのだからさほど気にすることもないのに、と思ったのですが、兄上は大変怒りました。それはもう、カンカンでした。ちょっぴり涙ぐんでもいました。

『私は今ほどお前に怒《いか》りを覚えたことはない』

『はぁ』

『もし自分が悪魔でなければ、いっそ悪魔に魂《たましい》を売ってしまいたいほどの気分だ』

『それはそれは』

『……これはDVD初回生産限定特典の超レア品なんだぞ……!?　それを……こんな……お前は悪魔か!!』

『ハイ。悪魔です』

地の王は厳粛《げんしゅく》かつ生真面目《きまじめ》にそう答えましたが、兄上にはこの答えが大変気に食わなかったようです。さらに激昂《げっこう》し、地の王の鼻先に人差し指を突きつけ、こう言《い》い放《はな》ちます。

『今後、私のコレクションに指一本でも触《ふ》れてみろ、おまえを殺すぞ』

その目には確かな殺意がありました。

——そのような経緯《いきさつ》もあって、想像力にいささか乏《とぼ》しい地の王にも兄上の怒りが容易《たやす》く想像できました。

普段はただの『オタク』ですが、兄上はとっても恐ろしいお方なのです。弟を殺すことに、一瞬の躊躇《ためら》いを覚えるどころか眉《まゆ》一つ動かさないでしょう。そんなお方だからこそ、地の王も兄上を敬《うやま》い従っているのです。

彼らの実家たる虚無界《ゲヘナ》では力がすべてですから。

「うーん……そうだ、街《まち》へ『フィギュア』を買いに行きましょう」

平然とした顔で悩んでいた地の王がポンと手のひらを打ちます。ぐるりと首をまわして、自身の脇《わき》にきょとんと立っているペットを見やります。「ボクは少し、街に出かけてきます。お前は、兄上がお戻りになるまでにこの部屋をキレイに片づけておいてください」

ペットの鬼《ゴブリン》は「グルルグル……」と飢《う》えた獣《けもの》のような声でうなります。不満の意を表したのですが、地の王は自分の言いたいことだけ言うと、さっさと開け放った出窓から出ていってしまいました。

†

「『フィギュア』『フィギュア』……さて、『フィギュア』とはどこにあるんでしょうか」

地の王がぶつぶつうなりながら正十字《せいじゅうじ》学園町の歩道を歩いておりますと、前を歩いていた初老の女性にバイクに乗った男が近づいていきます。そのまま、女性の腕からバッグをひったくり、一気にバイクを加速させます。バランスを崩《くず》した女性はそのまま地面に倒れてしまいました。彼女の飼い犬が走り去るバイクに向けて盛大に吠《ほ》えています。

「泥棒だ！」「あのバイクの奴《やつ》が――」「誰かソイツを捕《つか》まえろ!!」

周囲の人間たちも騒ぎ始めます。

でも、地の王には何の関係もないことなので、気にもとめませんでした。地面に倒れた女性が、

「ああ……あのバッグには、孫に買ってあげたフィギュア――が……」

と悲痛な声で叫ばなければ……。

「フィギュア」の後に何やら聞こえたような気もしましたが、地の王は女性の声を聞くやいなや、「ビョーン」と口にし、駆け出します。一瞬でバイクに追いつくも、能面のような無表情のままです。もちろん、息一つ切れていません。

「それをこっちに寄越《よこ》してもらいます」

「!? なっ……」

仰天する男からバッグを奪《うば》い取《と》り、ほとんど蚊《か》が止まったようなパンチを――兄上との三つのお約束がありますから――浴びせます。

もんどり打った男がバイクから転げ落ち、操縦者のいなくなったバイクもほどなく凄《すさ》まじい音を立てて横転しました。ゴミ箱を吹き飛ばし、電柱に激突すると、周囲の人々がわっと身をすくめます。……が、そんなことは地の王には関係ありません。

女性のバッグをあさります。この中に、兄上のフィギュアがあるはずです。しかし……、

「これは、なんですか?」

中から出てきたのは底に変な物のついた靴のようなものでした。兄上の愛する魔女っ子フィギュアとは似ても似つかぬものだということは、物質界《アッシャー》に疎《うと》い地の王にもわかります。

首を傾《かし》げている地の王のもとに、被害者の女性が駆け寄ってきます。

「ああ、ぼうやが取り返してくれたのね、ありがとう、ありがとう……それは、孫の誕生日に買ったフィギュアスケートの靴なの……サイズを特注してもらったから、それを盗《と》られると大変だったのよ」

女性が感激した様子で、何度も何度も地の王に礼を言います。

女性の飼い犬も「ワンワン」と間抜けに吠えて、地の王の足下《あしもと》に毛並みを擦《こす》りつけてきます。賢《かしこ》い犬ならば地の王の魔力に怯《おび》えるはずなので、あまり賢くない犬なのでしょう。

つまりバカ犬です。

「いやぁ、すげえもんだ」「大した野郎だ」まわりの人たちも口々に地の王を褒《ほ》め称《たた》えます。

しかし、地の王にとってはどうでもいいことでした。これが兄上のフィギュアでないことだけわかれば、あとは愚《おろ》かな虫けらたちがわけのわからないことをわめいているくらいにしか感じられません。

「よかったら、名前を教えて……お礼をさせてちょうだいな……ぼうやは、学生さんよね？　中学生――いえ、高校生かしら？　なら、正十字学園の生徒さん？　あそこの子は、皆、ホントにいい子で……この子の朝の散歩の時に会う子もそれは礼儀正しくて――」
熱心に語りかける女性を無視し、地の王はさっさとその場を立ち去りました。

人形ではなく、靴とは――。

まったく、とんだところで時間の無駄遣《むだづか》いをしてしまいました。

✝

地の王はさらに街中《まちなか》を歩いて、広場に出ました。
広場の真ん中に大きな時計台があるので、それを目印に待ち合わせをする恋人同士や友人たち、家族連れなどでにぎわっています。
時計台はカラクリ式になっていて、昼の十二時、午後三時、六時、九時の計四回、時計の真ん中の部分が開き、中から兄上を模《も》したメッフィー人形と愉快な仲間たちが出てきては『くるみ割り人形』のメロディに合わせて可愛《かわい》らしく踊ります。チェコの有名なカラクリ時計を模して兄上が作らせたものですが、最後にメッフィー人形が親指を下に向けて『GO TO HELL』と言ってウィンクするという洒落《しゃれ》が効《き》いています。

正十字学園町の名所の一つで、ちょうど、三時を迎えようとするこの時も、時計台のまわりには人垣が出来ていました。もちろん、地の王には関係のない光景です。

もっとも、この時計台の仕掛けを最初に見た時には『兄上は、なんてご自分がお好きなのだろう』と多少うんざり——もとい感心したものですが。

皆が人形のダンスに夢中になっている中、

「こら……ダメだってば……お願い返して！」

正十字学園《兄上の玩具箱》の制服を着た少女が、小鬼《ホブゴブリン》に翻弄《ほんろう》されていました。どうやら少女は魔障《ましょう》を受けたことがあるらしく、憑依体《ひょういたい》以外の悪魔も視《み》えるようです。ですが、祓《はら》う力まではないのでしょう。悪戯《いたずら》好きの小鬼《ホブゴブリン》にハンカチを盗《と》られ、いいようにからかわれています。

これも地の王には関係のないことでしたから、とりわけ興味も抱《いだ》きませんでした。

しかし、こちらに走ってきた小鬼《ホブゴブリン》が地の王に気づき、棒立ちになります。下級悪魔である小鬼《ホブゴブリン》からすれば、自分たちを統《す》べる首領《しゅりょう》に偶然遭遇《そうぐう》してしまったのですから、当然と言えば当然の反応でしょう。

地の王が深い隈《くま》に彩《いろど》られた感情の色のない硝子玉《ガラスだま》のような目で足下《あしもと》の小鬼《ホブゴブリン》を見やると、哀《あわ》れな小鬼《ホブゴブリン》は身も世もなく震《ふる》え、逃げ出してしまいました。少女のレースのハンカチがひらひらと地の王の足下に落ちます。

そこに少女が駆け寄ってきて、ハンカチを拾い上げると、胸の前で大事そうにぎゅううっと抱《かか》えました。

「ありがとう……これ、友達からもらった大切なハンカチなの」

少女はそう言ってにっこりします。やや色素の薄い髪をショートボブにした大人《おとな》しそうな顔立ちの少女でした。穏《おだ》やかな色みのとてもキレイな瞳《ひとみ》をしていました。

少女が少し、おずおずと尋《たず》ねてきます。「アナタも……その……悪魔が視えるの?」

「ハイ、視えます——では、僕はこれで。兄上の『フィギュア』を見つけなければなりませんから」

地の王が淡々《たんたん》と答えると少女は、

「フィギュア？　お人形のこと？」

と首を傾《かし》げました。

「ええ。兄上お気に入りの『フィギュア』の頭がもげてしまったのです。このままでは兄上に殺されてしまいます」

「こ、殺されるの……？」

少女が思わずぎょっとしたように両目を見開き、それから「……いやだぁ、もう」と笑い出しました。おそらく冗談だと思ったのでしょう。しかし、地の王は冗談など言いません。いつも真面目《まじめ》です。何が「いやだ」なのかわかりません。地の王に向かって「いやだ」とは、まったくもって無礼極《ぶれいきわ》まりない女です。

地の王は少し不快になりました。殺すのはダメでも腕の一本くらいもいでやろうかと考えます。

「お兄さんの大事なお人形を壊《こわ》しちゃったのね？　でも、頭のところが取れちゃったぐらいなら、接着剤で元に戻せるんじゃないかな？」

「『せっちゃくざい』？　何ですか、それは――」

「え？　うーん、こう透明で、それを塗《ぬ》るとすぐにくっついて……そうだ、これ」

そう言って少女がバッグから『携帯電話』を取り出します。携帯電話なら、地の王も知っています。虚無界《ゲヘナ》にいても連絡が取れるように兄上からもらいましたから。

少女の携帯電話は地の王のそれとは違い、たくさんの飾りがついていました。ピンクや黄色や水色のふわふわとした色とりどりの飾り。まるで兄上のそれのようです。

少女はその中の一つ、愛らしい黒猫のストラップの尻尾《しっぽ》の部分を指《さ》して言います。

「これも、ここの尻尾のところがとれちゃったんだけど、接着剤でくっつけたの。ほら、見た目は全然、わからないでしょ？　ね？」

「ほぉ」

確かに、猫の尻尾はちゃんと本体にくっついています。

地の王の中で、少女に対する不快感などどこぞへ消え去っていました。この物質界《アッシャー》にもそんな魔法のような品が存在するのか、と感心しきりです。

「スゴイです。その『せっちゃくざい』というのは、どこで手に入るものなのですか？」

「たぶん、文房具屋さんで買えると思うけど——ねえ、アナタ、もしかして外国から来たの？　あれ……？」

少女が言い終わらないうちに、地の王は彼女のもとを去りました。途中で、今しがたの少女の瞳を抉《えぐ》って、人間の瞳を集めているオカルト趣味のイトコにあげたら、さぞや喜ぶだろうと思いましたが、キレイな瞳をした少女は待ち人らしきマロ眉《まゆ》の少女と仲良く反対方向に歩いていってしまったので、止めることにしました。

キレイな瞳ならこの先、いくらでも出逢《であ》えるでしょう。今はオカルト趣味のイトコの目玉よりも、兄上の『フィギュア』です。

さっそく、文房具屋さんとやらで接着剤を買おうと思いましたが、地の王としたことが、文房具屋さんがどこにあるか少女に聞き忘れてしまいました。

地の王は仕方なく近くで一番立派な煉瓦《れんが》造《づく》りの建物に入りました。そこは『銀行』というところでした。確か、お金がいっぱいあるところです。セレブな兄上はここのカードを山のように持っています。

　ここで文房具屋さんのことを聞こうと思っていたのですが、地の王を待っていたのは間の抜けた発砲音と、

「手を上げろ!!」

　というまさかの命令でした。

「全員、頭の裏に手をまわして、その場に這《は》いつくばれ！　さもないと全員ぶっ殺すぞ!!　おい、そこの行員、てめぇは、このバッグの中に金を入れろ！　札束《さつたば》だけだぞ!!　それから、カラーボールを残らずここに出せ！」

　今、この物質界《アッシャー》で彼に命令できる者がいるとしたら、それは兄上だけです。

　もっともこれが、

『大変、恐れ入りますが、頭の裏に御手《みて》をおまわしになって、その場にお座りになっていただけますでしょうか？』

　という謙《へりくだ》ったお願いであったところで、地の王にそれを聞いてやるつもりはありません

でしたけれど。

　ですから、地の王はそのまま、すたすたと歩き続けました。

　恐《おそ》れ慄《おのの》いた周囲の人間が「あ、アンタも早く這いつくばった方がいいよ」「何やってんのよ！　早く、言う通りにしてよ」「俺達まで巻《ま》き添《ぞ》えになるだろっ!!」泡を喰《く》ったようにまくし立てますが、そんなことは地の王の知ったことではありません。

　この場で立っているのは、彼の他には四人の黒い覆面《ふくめん》の人間だけだったので、そのうちの一人に近づいていって尋《たず》ねました。

「『ぶんぼうぐやさん』というのはどこにあるか知っていますか？」

「てめぇ、このガキ、何、勝手に動いてんだぁ？　撃《う》ち殺《ころ》されてぇのか!?」

　男が怒声《どせい》を発し、銃口を地の王の鼻先に向けました。周囲から、押し殺した悲鳴がもれます。

　それに、地の王は真顔《まがお》で腹を立てました。

　地の王たる自分の質問に答えなかったどころか、質問に質問で返してきたのです。これはとても無礼なことだと、前に兄上が言っていました。

地の王は退屈の他にも、他人から無視されることと、無礼な行いをされることが大変嫌いなのです。

地の王は自分に向けられている銃身をつかむと、それを飴細工《あめざいく》のようにぐにゃぐにゃに曲げると、驚いている男の身体《からだ》を軽く……ごく軽く蹴《け》り上《あ》げました。男の身体は天井に当たって、再び床に落ちるとピクリとも動かなくなりました。

「質問に質問で答えないでくれませんか？　それから、ボクは無視されるのキライだなぁ」

誰もが、悲鳴どころか、物音一つもらしません。

シーンと静まり返った行内で、地の王はぐりんと首を曲げると、別の覆面の男にその視線を止めました。男が覆面の奥で「ひっ」と悲鳴を上げます。

その男の方に歩《あゆ》み寄《よ》り、先ほどと同じことを尋ねます。

「『ぶんぼうぐやさん』というのはどこにあるか知っていますか？」

「ヒッ……あ、あ………」

恐怖で口がきけなくなっている男の代わりに、側《そば》にいた行員が「こ、ここを出て左に真《ま》っ直《す》ぐ行った先の交差点を右に曲がって、み、三つ目のお店です……羽根ペンの描かれた大きな看板が目印です」と震《ふる》えた声で答えたので、地の王は啞然《あぜん》としている一同を置き去りにさっさとその場へ向かいました。

文房具屋さんの場所さえ聞ければ、ここには何の用もないのですから――。

✝

地の王が無事、接着剤を手に入れてヨハン・ファウスト邸《てい》に戻ると、彼のペットが配下の小鬼《ホブゴブリン》を使って荒れ果てた部屋を片づけていました。

「おおー、スゴイです♪」

若干《じゃっかん》の違いはあれど、ほとんど元の状態になった室内に、地の王が無表情でペットを労《ねぎら》います。「よしよし、偉いです。よくやってくれました。ボクも主人として鼻が高いです」

頭が身体《からだ》にめりこみそうな力で鬼の頭を撫《な》でます。鬼は主人に褒《ほ》められて嬉《うれ》しいのか、恐ろしい顔で「グルグルル……ッ」と喉《のど》を鳴らします。

働き者のペットを労《ねぎら》い終わった地の王は、さっそく某《ぼう》フィギュアを手に、もげた頭をなんとか胴体につけようとしましたが、断面がデコボコしているので上手《うま》くいきません。それに、この接着剤というやつは指にくっつくとベタベタして、大変不快です。地の王はだんだんイライラしてきました。もともと集中力に欠《か》けるところがある彼には、こういった地味で精密な作業は向いていないようです。

いっそ、この忌々《いまいま》しいフィギュアを壁にぶん投げてしまおうか、と思っていると、

「——あ、そうだ」

地の王は服のポケットを探《さぐ》り、そこから〝とらや〟の従業員（らしき男たち）の片割れに押しつけられた物体を取り出しました。

金髪の男が愛用していたという丸っこい三角形のヘラのようなもので、確か『ピック』と言ったはずです。これの先に接着剤をつければ指も汚れず、上手くできるのではないでしょうか。

「そうだ、終わったらこれを兄上のお土産《みやげ》にしましょう」

地の王がさらに思いつきます。これとて京都から持って帰ったことには違いないのです

し、あの騒がしい金髪の言うことを信じるなら、

『いつかこのピックはすごい値打ちもんになんで！　大事にしいや、坊主《ぼうず》』

ということですから、セレブな兄上のお土産にもぴったりでしょう。

地の王は自分の頭の冴《さ》えにひどく満足し、ピックの先に接着剤を押し出します……。

†

——珍しく仕事で疲労困憊《こんぱい》したフェレス卿《きょう》を待っていたのは、旅行から帰ってきた弟でした。

いつものようにソファーにゴロリと横になっただらしのない格好《かっこう》で、スナック菓子を食べ散らかしていた弟が、兄上の帰還《きかん》に気づきひょいと顔を上げます。

「おかえりなさい。兄上」

「…………」

顔を上げた拍子《ひょうし》に弟の手や口のまわりから、ピカピカに掃除させたばかりの床に菓子の

食べカスがボロボロと零《こぼ》れるのをフェレス卿はさも嫌《いや》そうに見やります。

「お前は、ようやく遊興《ゆうきょう》から戻ったと思えば、また寝ながら菓子を喰《く》っているのか……私の部屋を汚《よご》すなといつも言っているだろう」

「——ハイ。スミマセン。以後、気をつけます」

いつも返事だけはよいのです。この時点で菓子を食べることを止《や》めていないのですから、『以後』も追って知るべしというところでしょうか。

フェレス卿はため息を吐《つ》いて書斎《しょさい》の椅子《いす》に腰かけます。大量の未処理書類を机の上に置いたところで、

「？　おや……」

ふと、部屋の様子が少しばかり変わっているような気がしました。たとえば、本の並べ方や花瓶《かびん》の花の向き、ソファーの位置、絨毯《じゅうたん》の敷き方——といったごく些細《ささい》な箇所《かしょ》が、フェレス卿が部屋を出る前と違います。

一瞬、この弟が部屋を散らかし、片づけたのかと考えますが、すぐさまその考えを捨て去りました。この弟はおよそ生産性というものに欠《か》ける性分《しょうぶん》で、産み出すのは（他人の）

血と暴力ばかり。好き勝手に散らかすことはできても、それを片づけるなどという高等なことはできっこない――というのが、フェレス卿の所見でした。

「気のせいか……」

疲れているのかもしれない、と机の上に飾っている愛《いと》しのフィギュアに視線を移します。マニアの間では高級車一台分の値がつくとささやかれている美少女フィギュアは、変わらぬ笑顔で疲れた彼を迎えてくれます。フェレス卿は、先ほどとは異《こと》なり、うっとりとした表情で恍惚《こうこつ》のため息をもらします。

「ああ、なんと美しい曲線、魅惑《みわく》の色使《いろづか》い、官能的なまでの質感、時を忘れいくらでも眺《なが》めていられる――」

「………」

一瞬、弟が菓子を喰う手を止めてチラリとこちらを見たような気がしましたが、気のせいだったようです。愚《おろ》かな弟はこの上品かつきらびやかな部屋を、スナック菓子の食べカスと指についた油で汚すことに専念していました。その足下《あしもと》で、彼のペットの鬼《ゴブリン》がだらだらと滝のような涎《よだれ》を垂《た》れ流《なが》して眠りこけています。わざわざイスファハンから取り寄せた趣味の良いペルシャ絨毯が獣臭《けものくさ》い涎で台無しです。

フェレス卿はうんざりした顔でその一角から視線を逸《そ》らせると、机の上に置かれた正十《せいじゅう》字《じ》新聞・夕刊の一面に目をやります。

彼の町で今日、何が起こったか知ることは大事なお仕事の一つですから。

「……ほう。今日の昼間、ひったくりに遭《あ》ったご婦人を助け、名も告《つ》げずに立ち去った感心な若者がいるらしい」

「ほう」

「しかも、どうやらそれと同じ人物が、銀行に押し入った犯人をノックアウトしたらしい」

「ほうほう」

わざとらしく紙面を読み上げるフェレス卿に、弟はいい加減な返事こそすれ、まるで無関心です。そんな弟の反応に、フェレス卿の眉間《みけん》がピクピクと蠢《うごめ》きます。

今時《いまどき》、感心な若者もいるものだ、とわざと弟に聞こえるように皮肉げな独《ひと》り言《ごと》をもらします。

「始終《しじゅう》、そこで菓子を喰っているか遊び歩いているお前とは大変な違いだな。そうは思わないか？」

「ハイ、思います。兄上。ボクは悪魔ですから」

人助けなどとんでもありません、とすまして答える弟に――それはそれで（憎たらしいことに）至言《しげん》ではありますから、フェレス卿もそれ以上うるさいことを言えません。

弟との不毛な会話に早くも見切りをつけ、再び紙面に目線を戻すフェレス卿――と、机の上に、妙な三角形の物体があることに気づきそれをつまみ上げます。お世辞にも上手《うま》いとはいえない筆記体でサインらしいものがしてあります。S. KIZN……それ以上はにじんでいて判読できません。しかも、なぜか、固まったゼリー状の物体がついていて、大変ベトベトしています。

不潔なものが大っ嫌いなフェレス卿の顔が見る見る歪《ゆが》みました。

「何だ？　これは……」

「あー、それは――」ひょいと身を起こした弟が、お土産《みやげ》です、とすまして答えます。

「『ピック』というものらしいです」

「お前が買ったのか？」

「もらいました」

「妙な物をもらってくるな」

「ハア、すみません。兄上」

「大体、もらいもので兄へのお土産を済《す》まそうという考え自体が図々しい」

すっかりご立腹のフェレス卿がピックを机の隅《すみ》に放り投げます。地の王はそれを気にした様子もなく、ソファーの上で猫のようにごろりと寝返りを打ちます。

「本当は、生苺八つ橋《なまいちごやはし》があったんです」

「どうせ、自分で食べてしまったのだろう。仕方のない奴《やつ》だ」

フェレス卿が呆《あき》れて鼻を鳴らすと、弟はぴょんと機械人形のように跳《は》ね起《お》きました。そして、ぐるんと首をまわしてこちらを向きます。

「――どうした？」

さすがに気分を害したのかと思えば、

「生苺八つ橋のことを思い出したらお腹が空《す》きました」

なんとも気の抜けるような答えが返ってきました。

「…………お前は、たった今、スナック菓子をボリボリ喰っていたではないか」

「そうだ。バクダン焼きを買ってこよう」

「他人《ひと》の話を聞け！」

怒るフェレス卿を尻目《しりめ》にすくっと立ち上がると、安らかに眠っている鬼《ゴブリン》の首輪についた鎖《くさり》をぐいっと引っ張ります。そして、せっかくの眠りを妨《さまた》げられ不満げにうめいているペットには目もくれず、「ビョーン」と言って出窓に飛び移ります。

はっと次の状況を予測したフェレス卿が慌《あわ》てます。

「ちょ、待て！　今、窓を開けられると書類が――」

「では、行ってまいります。兄上。ベヒモス、ゴー」

そう言うやいなや、フェレス卿の返事も待たずに出窓を全開にします。

ちなみに、ここは正十字学園町で一番標高の高い場所にあります。フェレス卿は高いところが好きなのです。煙と何とやらは……というわけでは、もちろんありませんが。

直後、瞬間的に吹きこんできた夜風が、フェレス卿の机を直撃し、大切な書類が四方に

飛び散りかけ――それをとっさに押さえるフェレス卿。その紫《むらさき》の手袋に包まれた甲が、彼の大切な魔女っ子フィギュアに当たります。

「――ふう、やれやれ。どうしようもない弟だ――って、ぐオおお!?」

フェレス卿の両目が、ごろりと落ちた少女の頭を捉《とら》えます――。

「このっ……アマイモン!!!!!」

夜の闇《やみ》を貫《つらぬ》くような兄の悲痛な絶叫と、己《おのれ》の名を呼ぶ怒声《どせい》とを背後に聞きながら、地の王は夜の町を飛ぶように歩いていきました。そして、闇夜にそっと嘯《うそぶ》きます。

「――そろそろ日本の観光にも飽《あ》きたなぁ。奥村燐《おくむらりん》というのは、どのぐらい強いのだろう?　いい退屈しのぎになるといいけど」

✝

彼の名はアマイモン。大地にまつわるすべての悪魔を統《す》べる、地の王です。
好きなものは、バクダン焼き、甘いお菓子、それから楽しい戦闘《お遊戯》。

嫌いなものは、退屈——。

青の祓魔師 ホーム・スイート・ホーム あとがき

小説第二弾が出て、とても嬉しいです。

今回も矢島綾先生に、男の子たちの子供時代や、明陀宗の面々+アマイモンなどにフォーカスを当てて、笑いあり、涙ありの心温まるお話にしていただきました。矢島先生には、二度も関わっていただきありがとうございます!! 素晴らしいお話の数々でした。お疲れさまでした…!

前回の「ウィークエンド・ヒーロー」は、うちの80歳を超えた、マンガといえばノラクロしか読んだことない祖母が、「あんたのマンガは読めないけど、この小説なら読めるわ〜!」と絶賛していましたので、小説第二弾は、私の祖母孝行的にも大変たすかります。(笑)

私のほうはというと、またささやかながら、イラスト描き下しております。やはり鉛筆ですが、小説と併せてお楽しみいただけたら…!

読者の皆さんも、きっと読みたかったお話なんじゃあないかな、と思いますので寒い冬の夜長に、ぜひこの「ホーム・スイート・ホーム」で温まってもらえたら嬉しいです。

加藤和恵

この度は、『青の祓魔師』ノベライズ版・第二弾を書かせていただき、ありがとうございました……！　本当に幸せでした。これもひとえに、皆様のお陰でございます。

加藤先生、お忙しい中、殺人級に可愛いイラストを本当にありがとうございました。先生の描かれるちびっこが、それはもう大好きで、大好きで……拝見した瞬間、感激のあまりパソコンの前でむせび泣きました。ありがとうございます！　ありがとうございます!!　皆、むちゃくちゃ可愛いです!!　胸がキュンとなって悶え死にそうです。また、ピンナップの美しさには思わず息を呑みました。素敵すぎます……うぅ……青エク大好きです。

担当の六郷様には、今回も大変お世話になりました。素晴らしく頼りになる方で、アクシデントがある度に速攻で解決してくださいました。しかも青エクを深く愛していらっしゃる同好の士でもありまして（笑）、また一緒にお仕事ができ、本当に楽しかったです。

それから、日々ご指導いただいているｊ・ＢＯＯＫＳ編集部の皆様、ＳＱ担当の林様、この本の作成に携わってくださった多くの方々、本当にありがとうございます。

そして、この本を読んでくださった皆様に心からの感謝を――。ますます白熱し目の離せない本編と合わせて、ノベライズ版も楽しんでいただけましたら、幸せでございます。

では、やはり最後はこの言葉で……！　祝・映画化!!

矢島綾

■初出
青の祓魔師　ホーム・スイート・ホーム　書き下ろし

[青の祓魔師] ホーム・スイート・ホーム

2012年12月9日　第1刷発行
2023年12月30日　第2刷発行

著　者／加藤和恵 ◉ 矢島綾

編　集／株式会社　集英社インターナショナル
〒101-8050　東京都千代田区一ツ橋 2-5-10
TEL　03-5211-2632(代)

装　丁／シマダヒデアキ＋浅見大樹 [L.S.D]

発行者／瓶子吉久

発行所／株式会社　集英社
〒101-8050　東京都千代田区一ツ橋 2-5-10
TEL　03-3230-6297(編集部) 03-3230-6393(販売部)
03-3230-6080(読者係)

印刷所／TOPPAN 株式会社

Printed in Japan　ISBN978-4-08-703283-3 C0093

検印廃止